BT
REPORT

국내외 스마트농업 산업동향보고서 2022개정판

저자 비피기술거래 비피제이기술거래

<제목 차례>

01 개요

1. 개요

가. 스마트 팜 개요

1) 스마트 팜 개요

현재 농촌에서는 고령화와 인구감소로 인한 노동력 부족이 심각해지고 있다. 스마트 팜은 이를 해결하기 위한 방안의 하나로, 농촌의 노동력 감소 뿐만 아니라 농지감소와 기상이변등의 재해의 해결방법으로 대두되고 있다.

스마트 팜은 ICT(정보통신기술), BT(생명공학기술), ET(환경공학기술), GT(녹색기술) 외의 여러 기술들을 농업에 적용하여 작물에게 필요한 온도나 습도 등의 환경을 자동으로 제어하는 신개념 농업 기술이다.

스마트 팜은 작물 생육정보와 환경정보 등에 대한 정확한 데이터를 기반으로 언제 어디서나 작물, 가축의 생육환경을 점검하고, 적기 처방을 토해 노동력, 에너지, 양분 등의 투입량을 줄이고 농산물의 생산성과 품질제고가 가능해진다.

스마트 팜의 운영원리는 크게 생육환경 SW유지·관리, 환경정보 모니터링, 생육환경 관리로 나눌 수 있다.

ㅇ **생육환경 SW유지·관리** - 온실 축사의 온습도, CO2수준 생육조건 설정
ㅇ **환경정보 모니터링** - 온습도, 일사량, CO2생육환경 등 자동 수집
ㅇ **생육환경 관리** - 자동·원격 냉·난방기 구동, 창문개폐 CO2, 영양분·사료 공급

[표 1] 스마트팜 운영 원리

이처럼 ICT를 접목한 스마트 팜이 보편적으로 확산된다면, 노동·에너지와 같은 투입 요소를 최적으로 사용할 수 있게 되므로 농업 경쟁력을 상승시킬 수 있으며 더 나아가 미래 성장산업으로 나아갈 수 있을 것으로 전망된다.

2) 스마트 팜 기술 분야

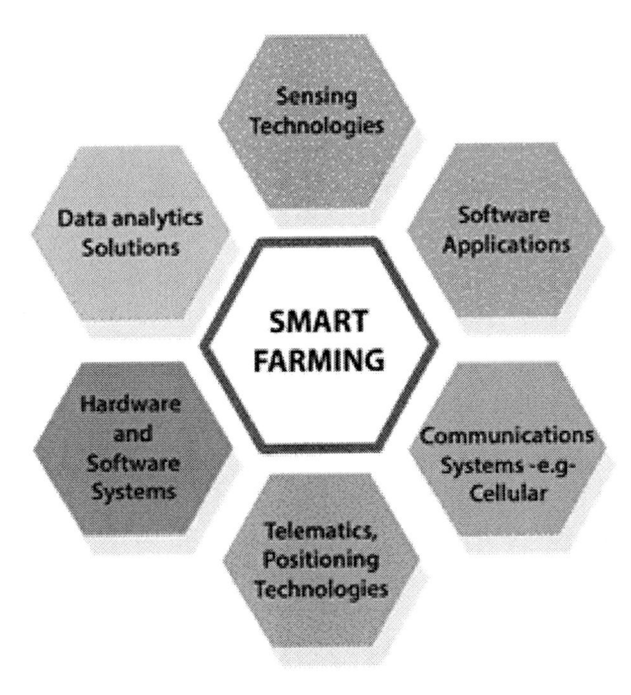

[그림 1] 스마트팜 기술분야

현재, 국내에서 주목하고 있는 스마트 팜의 주요 기술분야는 인공지능, 빅데이터, 클라우드로 볼 수 있다.

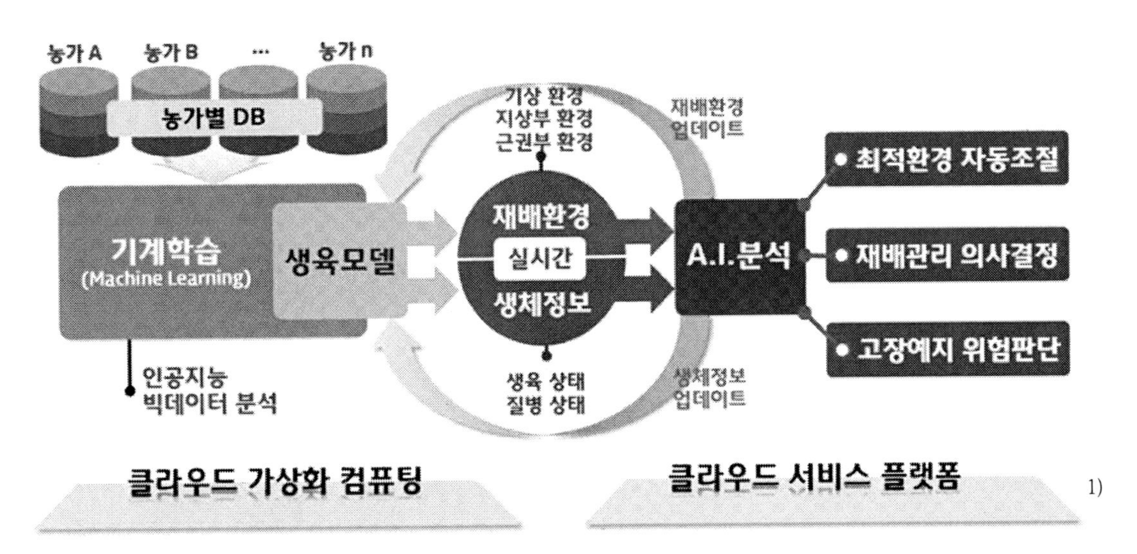

1)

[그림 2] 2세대 한국형 스마트 팜 기술

1) 인공지능이 농사짓는 시대, 이달의 이슈 농업기술

가) 인공지능

(1) 인공지능 개요

인공 지능(AI : Artificial Intelligence)이란, 인공적으로 지적능력을 구현한 것으로 여기에서 지적능력(지능)이란 주로 '문제를 인식하는 능력', '새로운 문제를 해결함에 사전에 지니고 있던 지식과 경험을 적용하는 능력' 등으로 정의된다. 즉, 인공 지능이란 기계가 인공적으로 문제를 인식하고 그를 해결함에 있어 사전에 학습된 지식과 경험을 적용할 수 있도록 하는 기술로 볼 수 있다.

인공지능은 크게 '약한(Week) 인공지능'과 '강한(Strong) 인공지능'으로 나눌 수 있다. 약한 인공지능은 미리 정의된 규칙이나 알고리즘을 이용하여 인간의 지능을 구현한 것으로 체스, 바둑, 컴퓨터 게임과 같은 특정 영역의 문제를 푸는 기술인 반면 강한 인공지능은 문제의 영역을 좁혀주지 않아도 어떤 문제든 해결할 수 있는 기술 수준을 말한다. 현재 약한 인공지능은 널리 쓰이고 있으며 최근 컴퓨터 성능의 향상과 딥러닝의 등장으로 특정 영역에서는 인간에 버금가거나 인간을 능가하는 수준의 단계로 발전하였다.

인공 지능은 주로 머신러닝(기계 학습) 기법을 이용하여 구현된다. 머신러닝은 크게 알고리즘, 데이터, 하드웨어 인프라로 구성되어있으며 경험적 데이터를 기반으로 학습을 하고 예측을 수행하며 그 결과를 토대로 기계가 스스로 자신의 성능을 향상시키는 시스템과 알고리즘을 말한다. 따라서 데이터의 양이 많을수록 정확한 예측이 가능하기 때문에 최근 '빅데이터'가 함께 대두되고 있다.

과거 기계의 성능과 용량의 부족으로 인공지능 분야는 긴 침체기를 맞이하기도 했지만 이후 기계의 성능이 향상되며 음성 인식, 영상 처리, 게임 등 다양한 분야에서 큰 성공을 거두었다. 더 나아가 2006년 인지심리학자이자 컴퓨터 과학자인 제프리 힌튼(Geoffrey Hinton) 교수에 의하여 딥러닝이 등장한 이후로 '알파고'와 같이 인간을 뛰어넘는 수준의 인공지능이 등장하기도 하였다. 이처럼 특정 분야에서 인간을 뛰어넘는 인공지능이 등장함에 따라 향후 인공지능이 인간의 능력을 추월할 수 있다는 의식이 확산되고 있다.

(2) 인공지능 주요 기술

인공지능 분야에는 3가지의 중점 기술이 존재한다. 이를 '인공지능 3대 주요기술'이라 칭하며, '학습', '추론', '인식'이 이에 속한다. 각각에 대해 살펴보자.

(가) 학습

신경회로망(Neural network)은 인간의 뇌를 단순화하여 구현했으며 최근 이것을 발전시켜 딥러닝이 등장했다. 신경회로망은 인간의 뇌의 구조를 모방한 것으로 신경회로망은 인간의 두뇌가 작동하는 것처럼 동작한다.

먼저, 동시에 수많은 뉴런들이 정보를 주고받는 것처럼 신경회로망 전체가 병렬, 분산적으로 정보의 저장, 처리, 전달을 수행한다. 또한 시냅스를 통해 뉴런이 연결강도를 조절하는 것처럼 인공신경망도 단순한 계산소자의 연결을 통해 서로간의 연결강도를 조절하며 성능을 증가시킨다.

Rumelhart와 McClelland는 신경회로망의 기본 구성 요소를 처리기(processing units), 활성화 상태(activation state), 각 처리기에 대한 출력 함수(output function), 각 처리기간의 연결 패턴(connectivity pattern), 전파 규칙(propagation rule), 활성화 규칙(activation rule), 학습 규칙(learning rule), 환경(environments) 등 여덟 가지로 제시하였다.

① 처리기(Processing units)

처리기는 신경회로망에서 매우 중요하고 기본적인 단위로, 여러개의 처리기들이 동시에 계산을 수행할 수 있어 PDP(Parallel Distributed Processing)이라고 불리기도 한다.

② 활성화 상태(activation state)

활성화상태는 시스템 상에서 시간에 따른 처리기들의 활성화 패턴을 지칭한다. 처리기들은 연속적이거나 비연속적인 값을 가지게 되는데, 연속적인 경우 0~1사이의 값을 가지게 되고 비연속적인 경우 -1, 0또는 1의 값을 가지게 된다.

③ 출력 함수(output function)

인간의 뇌속 '시냅스'에서 화학물질을 통하여 정보를 전달하는것과 같이 인공신경망에서 다양한 종류의 처리기는 모두 이웃한 처리기에 신호를 전달하는 공통적인 작업을 수행한다. 이때 이웃한 처리기에 영향을 미치는 정도를 신호의 강도를 통하여 조절하게 되는데, 신호의 강도는 활성화 함수(activation function)을 통해 결정한다.

④ 연결 패턴(connectivity pattern)

연결 패턴은 각 처리기간의 연결 패턴을 의미하며, 시스템이 임의의 처리기에 대하여 어떻게 반응하는지를 나타낸다.

⑤ 전파 규칙(propagation rule)

전파 규칙은 어떤 한 처리기의 출력을 이용하여 연결된 처리기의 입력값을 생성하기 위하여 가중치와 출력값을 결합화 하는 규칙이다.

⑥ 활성화 규칙(activation rule)

활성화 규칙은 특정 처리기에 들어오는 입력값들을 조합하여 새로운 상태를 생성하는 규칙이다.

⑦ 학습 규칙(learning rule)

학습 규칙은 인접한 처리기 사이의 연결 강도를 변화시키는 것이다. 신경회로망에서 한 처리기의 지식 변화는 인접된 다른 처리기에도 변형을 주며, 기존 연결의 강도수정으로 이루어진다.

(나) 추론

① 퍼지이론 (Fuzzy Theory)

퍼지이론은 1965년 로트피 자데(Lotfi Zadeh)교수가 논문을 발표하며 세상에 등장하였다. 이후 자데교수는 1973년 시스템 자동제어에 퍼지이론을 응용할 수 있다는 의견을 냈고, 1974년 맘다니(Mamdani)교수가 스팀 엔진 제어에 응용하며 실용 가능성을 보였다. 이후 1990년부터 퍼지이론은 가전제품부터 생산설비의 제어와 문자인식 음석인식등 다양한 범위에서 사용되고 있다.

② 퍼지 제어 (Fuzzy Control)

퍼지 제어는 퍼지 규칙으로 구성된 제어를 의미한다. 퍼지제어는 크게 퍼지화, 퍼지추론, 비퍼지화(역퍼지화)로 나눌 수 있다. 퍼지화는 제어 시스템에서 측정된 정확한 값들을 퍼지규칙에 의해 각각의 언어값과 소속함수로 바꾸는 과정이며, 퍼지추론이란 퍼지집합을 이용하여 주어진 입력을 출력에 대응시키는 과정이다. 비퍼지화는 역퍼지화라고도 하며 퍼지 출력의 보통의 수치로 변환시키는 과정을 말한다.

(다) 인식

인식은 학습을 바탕으로 새로운 자료나 불확실한 자료가 주어졌을 때 추론을 통해 알아차리는 과정이며 그 결과를 표출하는 과정까지 포함한다. 인공지능에서는 다양한 인식 기술들이 있으며, 기본적으로 인식을 위한 단위를 패턴(pattern)이라고 하고, 하나의 패턴은 하나의 유니트나 개념을 표현한다.

대표적인 패턴으로는 글자인식, 영상인식, 음성인식, 개인성향인식, 상황인식, 위치인식 등이며 미래예측, 결과예측 등과 같은 패턴도 인식의 범위에 포함시킬 수 있다.

나) 빅데이터

(1) 빅데이터 개요

<SERI>에 의하면 빅데이터란 "기존의 관리 및 분석 체계로는 감당할 수 없을 정도의 거대한 데이터의 집합"을 지칭하고, 위키피디아(Wikipedia)에 따르면 빅데이터는 "기존 방식으로 저장/관리/분석하기 어려울 정도의 큰 규모의 자료"라고 정의되어 있다.

또한, 국내 국가정보화전략위원회에 따르면 "빅데이터는 대용량 데이터를 활용/분석하여 가치 있는 정보를 추출하고, 생성된 지식을 바탕으로 능동적으로 대응하거나 변화를 예측하기 위한 정보화 기술"이라고 정의하기도 한다.

이처럼 빅데이터를 바라보는 다양한 시선에 따라 정의가 달라질 수 있으나, 결론적으로 넓은 의미의 빅데이터는 말 그대로 막대한 양의 데이터이며, 데이터 규모뿐 아니라 이질적 데이터를 결합하여 가치 있는 정보를 추출하고 그 정보의 활용까지 포괄하는 과정으로 정의할 수 있을 것이다. 또한 근래에는 특정 규모(big volume) 이상을 빅데이터로 칭하기보다는 원하는 가치(big value)를 얻을 수 있는 정도를 의미하는 상대적인 해석도 가능하다.

또한, 빅데이터에는 잠재적 가치와 잠재적 위험이 공존하며, 사회경제적으로는 승패를 좌우하는 핵심 원천이 될 것으로 평가되고 있다.

(2) 빅데이터 주요 기술

(가) Hadoop

하둡은 대규모 데이터를 효율적으로 처리하는 데 사용할 수 있는 오픈 소스 소프트웨어 프로젝트로 하나의 대형 컴퓨터를 사용하여 데이터를 처리 및 저장하는 대신 하둡을 사용하면 대량의 데이터를 병렬로 분석할 수 있다.

하둡은 '분산처리'라는 기술을 통해 많은 양의 데이터를 저장하고 처리할 수 있는데, 일부에서는 슈퍼컴퓨터보다 더욱 좋은 성능을 내기도 했다.

하둡의 또다른 장점 중 하나는 많은 양의 데이터를 처리하는것에 그치지 않고, 데이터를 분산처리하는 수를 늘리거나 줄임으로써 저렴한 비용으로 어떠한 기업이든 원하는 크기의 저장소를 구현할 수 있다는 것이다.

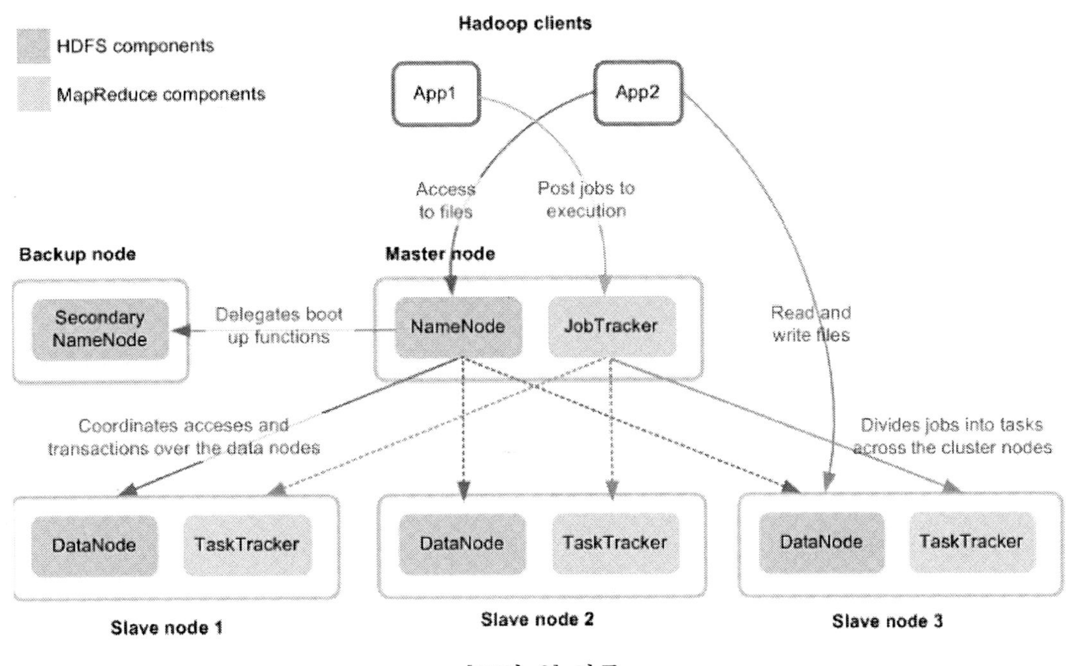

[그림 3] 하둡

(나) NoSQL

NoSQL은 1998년 카를로 스트로찌(Carlo Strozzi)라는 엔지니어가 공개한 표준 SQL 인터페이스를 채용하지 않은 자신의 경량 Open Source 관계형 데이터베이스를 NoSQL이라고 명명한데서 유래했다.

NoSQL은 특정 데이터에 대해 특정 목적에 맞추어 구축되는 데이터베이스로, 다양한 데이터를 다루는 현대의 어플리케이션에 걸맞는 유연함을 제공한다. 따라서 NoSQL 데이터베이스는 개발에 용이하고, 기능성과 확장성을 널리 인정받고 있다.

NoSQL은 문서, 그래프 등 다양한 데이터에 접근하고 관리하기 위해 다양한 데이터 모델을 사용한다. NoSQL은 유연성, 확장성, 고성능, 고기능성을 제공한다.

① 유연성

NoSQL 데이터베이스는 일반적으로 유연한 스키마를 제공하여 보다 빠르고 반복적인 개발을 가능하게 해준다. 이같은 유연한 데이터 모델은 NoSQL 데이터베이스를 반정형 및 비정형 데이터에 이상적으로 만들어 준다.

② 확장성

NoSQL 데이터베이스는 일반적으로 고가의 강력한 서버를 추가하는 대신 분산형 하드웨어 클러스터를 이용해 확장하도록 설계되었다. 일부 클라우드 제공자들은 완전관리형 서비스로서 이런 운영 작업을 보이지 않게 처리한다.

③ 고성능

NoSQL 데이터베이스는 특정 데이터 모델(문서, 키 값, 그래프 등) 및 액세스 패턴에 대해 최적화되어 관계형 데이터베이스를 통해 유사한 기능을 충족하려 할 때보다 뛰어난 성능을 얻게 해준다.

④ 고기능성

NoSQL 데이터베이스는 각 데이터 모델에 맞추어 특별히 구축된 뛰어난 기능의 API와 데이터 유형을 제공한다.

다) 클라우드[2)]

(1) 클라우드 개요

클라우드란 언제 어디서나 필요한 만큼의 컴퓨팅 자원을 필요한 시간만큼 인터넷을 통하여 활용할 수 있는 컴퓨팅 방식으로, 서버의 유휴 자원 활용을 통한 효율성 향상을 위해 도입되기 시작했다.

클라우드 컴퓨팅을 활용하면 인터넷이 연결되기만 하면 PC 뿐만 아니라 모바일 기기 등 다양한 기기에서 클라우드 서비스에 접속할 수 있기 때문에 시간과 장소, 접속기기에 따른 제약이 없고, 급격한 이용량 증가에도 유연하게 대응할 수 있다는 장점이 있다.

인터넷 쇼핑몰의 경우에도, 갑작스럽게 주문이 폭주하는 경우에도 필요한 만큼의 컴퓨팅 자원을 손쉽게 추가할 수 있어 유연한 대응이 가능하다. 또한, 이용자가 원하는 서비스를 원하는 만큼만 사용하고 비용을 부담하는 특징이 있다.

구분	내용
접속 용이성	• 시간과 장소에 상관없이 인터넷을 통해 클라우드 서비스 이용 가능 • 클라우드에 대한 표준화된 접속을 통해 다양한 기기로 서비스를 이용
유연성	• 클라우드 공급자는 갑작스러운 이용량 증가나 이용자 수 변화에 신속하고 유연하게 대응할 수 있기 때문에 중단없이 서비스를 이용할 수 있음
주문형 셀프서비스	• 이용자는 서비스 제공자와 직접적인 상호작용을 거치지 않고, 자율적으로 자신이 원하는 클라우드 서비스를 이용 가능
가상화와 분산처리	• 하나의 서버를 여러 대처럼 사용하거나 여러 대의 서버를 하나로 묶어 운영하는 가상화 기술을 접목하여 컴퓨팅 자원의 사용성을 최적화 • 방대한 작업을 여러 서버에 분산처리함으로써 시스템 과부하 최소화
사용량 기반 과금제	• 이용자는 서비스 사용량에 대해서만 비용을 지불 • 개인이 전기사용량에 따라 과금하는 방식과 유사함

[표 2] 클라우드 컴퓨팅의 특징

2) 클라우드 컴퓨팅 시장 동향 및 향후 전망, 강맹수, 산은조사월보, 2019

클라우드 컴퓨팅은 구축 유형에 따라 공용, 사설, 하이브리드로 나눌 수 있다.

① 공용 클라우드

공용 클라우드는 AWS, Microsoft, Google과 같은 외부의 클라우드 컴퓨팅 사업자가 HW와 SW 및 기타 IT 자원을 소유하고 서비스를 제공한다.

② 사설 클라우드

사설 클라우드는 개별 기업이 자체 데이터 센터 내에서 클라우드 컴퓨팅 환경을 구축하는 경우를 말한다. 만약, 여러 기업들이 클라우드를 위한 공동의 데이터 센터를 구축하여 공동으로 운영하는 경우 이러한 형태는 커뮤니티 클라우드라고도 한다.

③ 하이브리드 클라우드

하이브리드 클라우드는 사설과 공용 클라우드를 결합한 형태로 기업의 핵심 시스템은 내부에 두고 외부의 클라우드를 활용하는 방식이다.

클라우드 컴퓨팅은 서비스의 제공범위에 따라, IaaS, PaaS, SaaS로 구분할 수 있다.

① IaaS(Infrastructure as a Service)

IaaS는 CPU, 메모리 등의 HW 자원을 제공하는 클라우드 서비스이다.

② PaaS(Platform as a Service)

PaaS는 운영체제와 SW 개발이나 데이터 분석을 위한 도구들까지 제공하는 서비스이다.

③ SaaS(Software as a Service)

SaaS는 HW와 OS뿐만 아니라 응용 SW까지 제공하는 서비스이다.

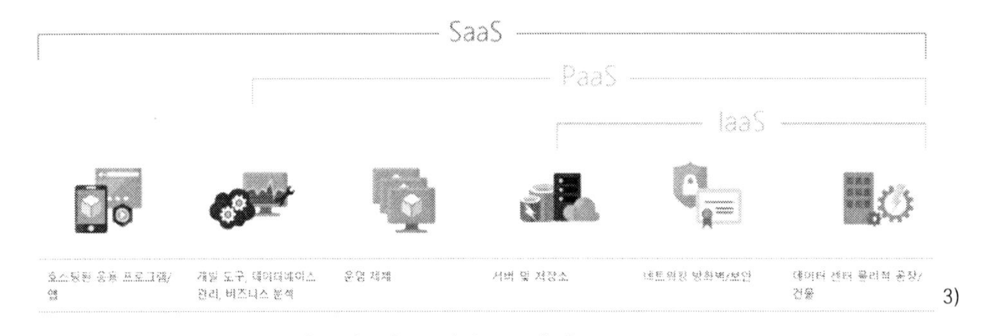

3)

[그림 4] 클라우드 서비스 종류

클라우딩 컴퓨팅이 가장 효과적인 영역에는 게임, 인터넷쇼핑몰과 같은 고객이 특정 시험에 집중되는 영역을 들 수 있다. 이처럼 필요할 때 필요한 만큼 컴퓨팅 자원을 임대하는 클라우드 방식이 효과적이며, 실제로 국내외 클라우드 사업자의 주요 고객은 게임과 e-commerce 분야이다.

---

3) 출처 : Microsoft Azure 홈페이지

또한, 단시간에 대규모 컴퓨팅 자원이 필요한 인공지능 개발이나 시뮬레이션 분야도 클라우드 이용에 효과적인 분야로, 이 경우 정기적으로 짧은 시간에 컴퓨팅 자원이 집중되어 대규모 컴퓨팅이 필요한 작업을 위해 자체 시스템을 구축하는 것보다 클라우드 방식이 훨씬 더 비용적으로 효율적이다.

이처럼 클라우드를 통해 유연한 컴퓨팅 자원 활용이 가능하지만, 최상의 안정성과 보안이 필요한 영역에서는 적용에 한계를 보인다. 통상 클라우드 사업자가 제공하는 시스템 가용률은 99.95%[4]로 온프레미스(On-premise) 환경에서 추구하는 99.999%에는 미치지 못한다.

또한, 24시간 365일 절대로 중단되어서는 안 되는 시스템인 경우 클라우드 전환에 따른 리스크가 높기 때문에 기업의 핵심 경쟁력과 관련된 공정 데이터 등의 처리는 인터넷과 연결되어 사용해야 하는 클라우드 환경과는 적합하지 않다.

---

4) 가용률 99.95%는 연간 4.4일, 월 21.6분의 장애 발생이 가능한 수준의 시스템 안정성을 의미

(2) 클라우드 주요 기술

(가) 가상화 기술

가상화 기술은 유연한 클라우드 서비스를 위한 핵심 기술로 대표적 가상화 기술인 가상머신은 소프트웨어적으로 물리적 컴퓨팅 환경을 구현한 것이다.

가상화 기술은 소프트웨어를 통해 각각의 사용자에게 실제 서버처럼 CPU, 메모리, 저장장치를 할당하여 서로 다른 OS나 응용 SW를 활용할 수 있도록 만들어 준다. 따라서, 이용자는 실제 물리적 서버를 이용하는 것인지 가상 환경에서 컴퓨팅을 하는 것인지 알 수 없다.

가상화 기술을 이용하면 하나의 서버를 여러 이용자에게 배분할 수도 있고, 여러 서버를 하나의 서버처럼 이용할 수도 있어 컴퓨팅 자원의 사용 효율을 향상시키고 유연한 클라우드 서비스를 가능하게 만든다.

컨테이너는 어플리케이션과 구동 환경을 격리하는 가상화 기술로, 소프트웨어 개발 환경과 구동 환경의 차이로 인한 예상치 못한 오류를 방지하기 위해 등장했다. 컨테이너를 이용하면 어플리케이션과 구동환경 만을 가상화함으로써 가상머신에 비해 훨씬 가볍고 효율적이며 안정적인 서비스 구현이 가능[5]하다는 장점이 있다. 또한, 여러 개의 컨테이너들을 관리하기 위한 프로그램으로 최근에는 구글의 오픈소스 플랫폼인 쿠버네티스가 표준으로 자리 잡고 있는 추세이다.

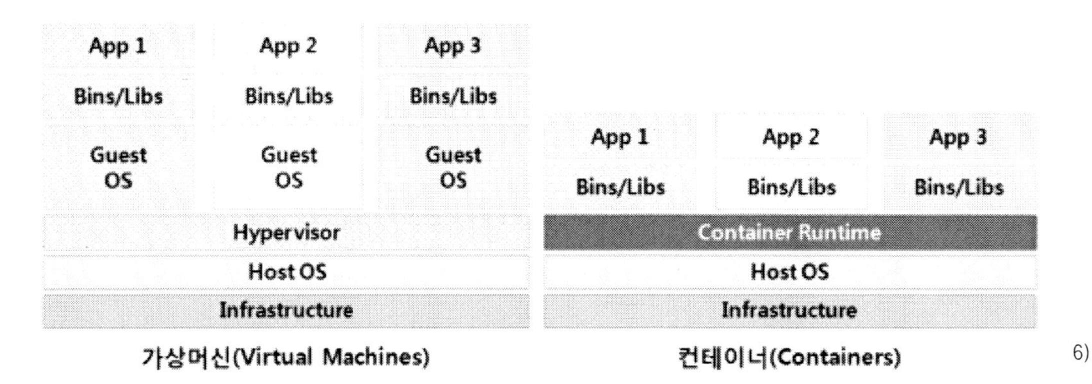

[6]

[그림 5] 가상머신과 컨테이너

5) 가상머신은 GB 단위의 용량이 필요한 반면 컨테이너는 MB 단위의 크기
6) 자료 : Google Cloud 홈페이지

나. 스마트 팜 분류

스마트팜은 온실의 온습도, CO2 등을 모니터링 하고 최적의 생장환경을 조성하는 시설 원예 부문, 기상상황이나 모니터링을 통해 자동으로 관수, 병해충을 관리하는 과수 부문, 축사의 온습도, 축사의 환경을 모니터링하고 사료 및 물 공급시기와 양 등을 원격자동으로 제어하는 축산 부문으로 나눠질 수 있다.

또한, 생산량이 증가함에 따라 시장 활동과 연결되며 이에 도움 되기 위해 스마트 유통, 경영 등이 발전하기 시작하고 있다.

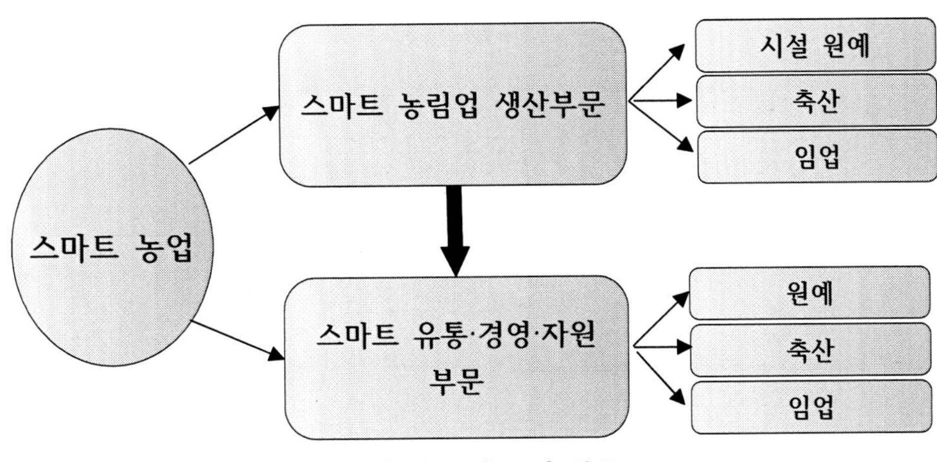

[그림 6] 스마트 팜 분류

1) 시설원예 분야

시설원예 분야에서 스마트 팜은 PC 또는 모바일을 통해 온실의 온·습도, 이산화탄소 등을 모니터링하고 창문 개폐, 영양분 공급 등을 원격자동으로 제어하여 재배하는 작물의 최적 생육 환경을 유지 관리 할 수 있는 농장을 목표로 한다.

구분		세부내역
환경 센터	**내부**	온도, 습도, CO2, 토양수분(토경), 양액측정센서, 수분센서
	외부	온도, 습도, 풍향/풍속, 강우, 일사량 등
영상장비		적외선카메라, DVR(녹화장비) 등
시설별 제어 및 통합제어 장비		환기, 난방 에너지 절감시설, 차광 커튼. 유동팬, 온수/난방수 조절, 모터제어, 양액기 제어 등
최적 생육 정보관리 시스템		실시간 모니터링 및 시설물 제어 환경 및 생육정도 DB분석시스템

[표 3] 스마트 온실 주요 구성요소

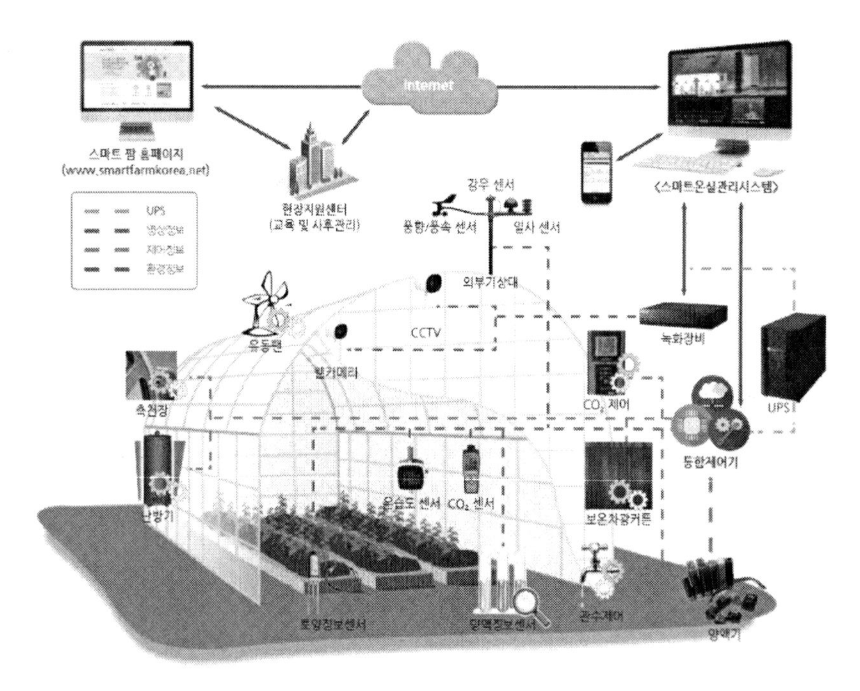

[그림 7] 스마트 온실 구성도

2) 과수분야

과수분야에서 스마트 팜은 PC 또는 모바일을 통해 온·습도, 기상상황을 등을 모니터링 하고 원격으로 관수, 병해충 관리 등이 가능한 과수원을 목표로 한다.

구분	세부내역
환경 센터	온도, 습도, 토양수분(토경), 양액측정센서, 수분센서, 풍향/풍속, 강우, 일사량 등
영상장비	CCTV, 웹카메라, DVR 등
시설별 제어 및 통합제어 장비	에너지 절감시설, 관수모터제어, 양액기 제어 등
최적 생육환경 정보관리시스템	실시간 생장환경 모니터링 및 시설물 제어 환경 및 생육정보 DB 분석시스템

[표 4] 스마트 과수원 주요 구성 요소

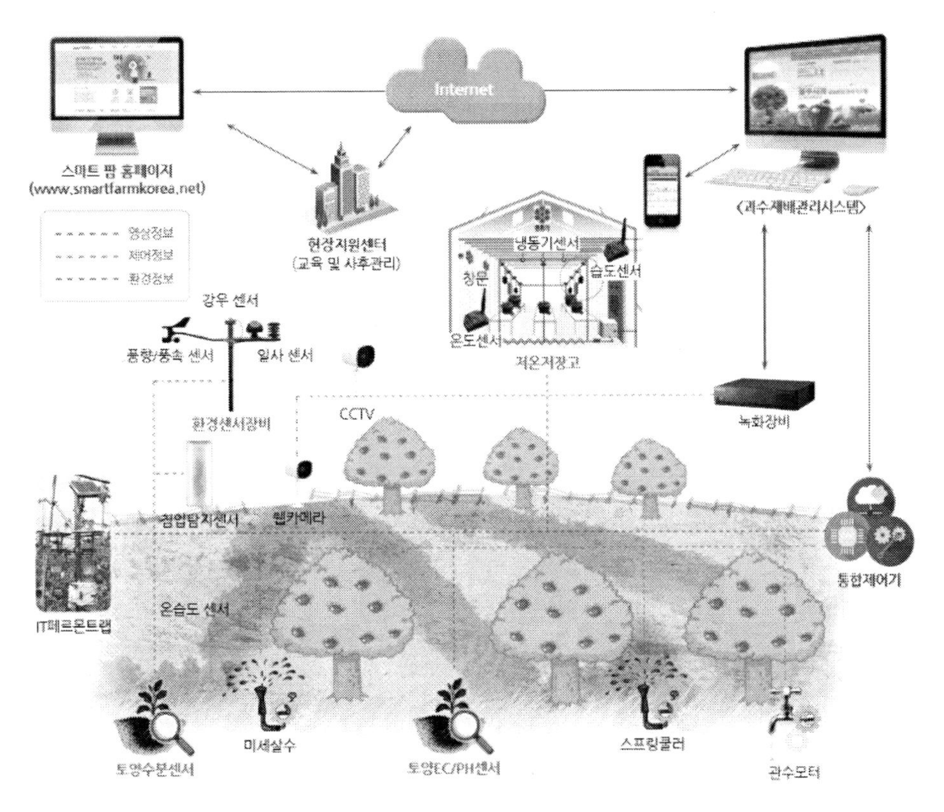

[그림 8] 스마트 과수원 구성도

3) 축산분야

축산분야에서 스마트 팜은 PC 또는 모바일을 통해 온·습도 등 축사 환경을 모니터링하고 사료 및 물 공급시기와 양을 원격자동으로 제어할 수 있는 농장을 목표로 한다.

구분		세부내역
돈사 환경관리	내부 환경 관리장비	온도, 습도, CO2조도, 암모니아, 이산화탄소, 누전 등
	외부환경 관리장비	온도, 습도, 풍향, 강우, 일사, 풍속 등
제어장비 영상장비	임신사	발정체크기, 모돈급이기, 사료빈, 음수관리기 등
	분만사	보온등, 모돈 급이기, 사료빈, 음수관리기 등
	자돈사	보온등, 사료믹스기, 사료빈, 음수관리기 등
	비육사	돈선별기, 사료믹스기, 사료빈, 음수관리기 등
영상장비		CCTV(웹카메라), DVR(녹화장비) 등
생산경영관리시스템		PC, 모니터 등

[표 5] 스마트 축사 주요 구성요소

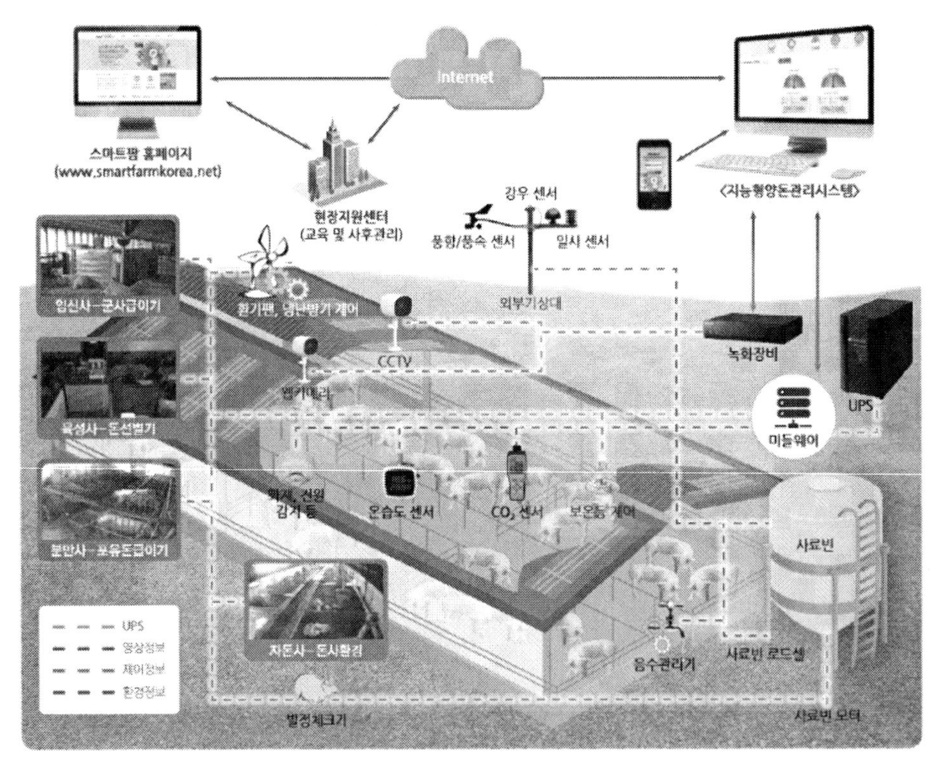

[그림 9] 스마트 축사 구성도

다. 스마트팜의 필요성

국제연합 식량농업기구(FAO)는 50년 후 전 세계 인구가 약 90억 명에 이를 것이며, 현재의 식량 증산 수준에 큰 변동이 없다면 기아 인구가 증가 될 것이라고 전망했다. 따라서 우리는 향후 기아 인구 증가를 방지하기 위한 돌파구로 스마트 팜(Smart Farm) 기술에 주목하고 있으며, 이를 통해 현재의 식량 수준을 증대 시킬 수 있을 것으로 예상된다.

우리나라 역시 농업분야에서 농촌인구의 감소 및 고령화, 곡물자급률 하락, 농가소득 정체, 한반도 기후변화 심화 등의 어려움을 겪고 있다. 농림어업조사 결과에 따르면 2020년 12월 기준 전년에 비해 농가는 2만 9천 가구(2.9%), 농가인구는 7만 2천 명(3.2%) 증가한 것으로 나타났다. 총 가구 중 농가 비중은 5.1%, 총인구 중 농가인구 비중은 4.5%로 전년에 비해 각각 0.1%p, 0.2%p증가했다.

	2016	2017	2018	2019(A)	2020(B)	증감 (C=B-A)	증감률 (C/Ax100)
농가	1,068	1,042	1,021	1,007	1,036	29	2.9
농가비중	5.5	5.3	5.2	5.0	5.1	-	-
농가인구	2,496	2,422	2,315	2,245	2,317	72	3.2
남자	1,222	1,184	1,130	1,100	1,155	55	5.0
여자	1,275	1,238	1,185	1,145	1,162	17	1.5
성비	95.9	95.7	95.4	96.0	99.4	-	-
농가인구 비중	4.9	4.7	4.5	4.3	4.5	-	-

[표 6] 농가 및 농가인구(2016년~2020년)

최근 소폭의 상승세를 보이고 있으나, 전체적인 농가의 인구는 매년 소폭 감소하고 있으며, 선진국에 비해 우리나라 농·식품 산업 경쟁력은 낙후 되고 자본생산성은 지속적으로 하락하여 농업 생산성이 선진국과 격차가 확대되고 있다.

최근 스마트 팜과 더불어 6차 산업 역시 귀농·귀촌 진입 장벽을 낮추고 있다. 6차 산업은 1차 산업(농림수산업), 2차 산업(제조 가공업), 3차 산업(서비스업)을 융합(1 x 2 x 3= 6)해 고부가가치 발생시키는 산업으로, 이를 통해 농업 경험이나 기술이 부족하다 하더라도 아이디어를 통해 성공적인 귀농·귀촌을 이룰수 있도록 돕는다.

[그림 10] 6차 산업

실제로 농촌으로 삶의 터전을 옮기고서 6차 산업과 스마트팜을 발판으로 성공을 거둔 귀농인이 속속 등장하고 있다. 즉, 농업 가치 전반에 있어서 ICT 융합기술을 통해 고기능·고효율을 달성을 목표로 6차 산업과 스마트팜을 통해 현재 농촌이 겪고 있는 문제를 극복할 수 있다는 것을 보여주는 것이라고 할 수 있다.

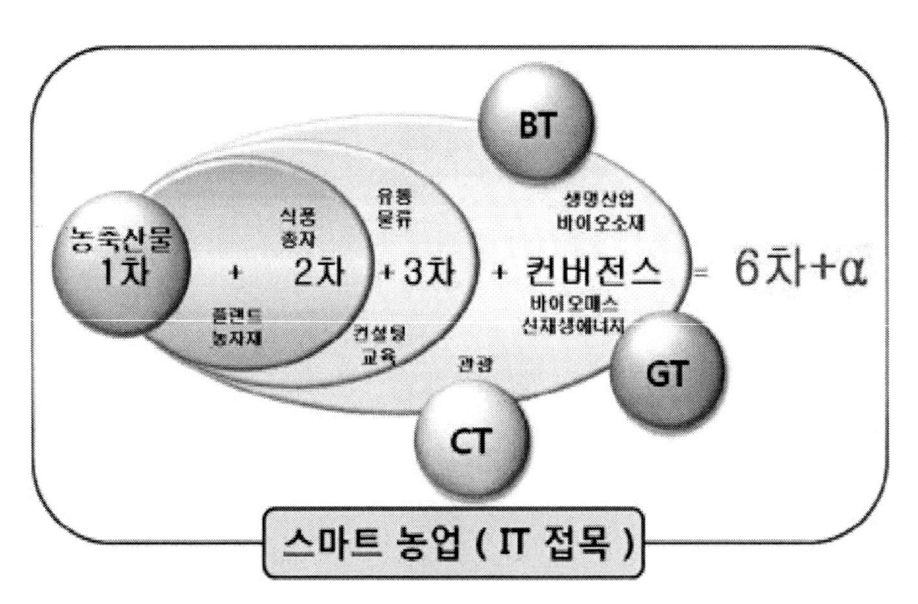

[그림 11] 스마트 농업의 확대 분야

라. 스마트 팜의 기대효과

스마트팜 구축·운영의 기대효과로는 최적화된 생육환경 제공으로 투입재, 노동력 절감, 통제된 첨단시설을 통해 연중 안정적인 생산과 바이어 요구에 대한 유연한 대응, 전문 재배사, 소프트웨어 개발자, 사물인터넷 서비스 기업 등 청년 일자리를 창출, 병해충·질병 감소, 악취 관리, 불필요한 양분 공급 감소 등이 있다.

다양한 스마트 팜의 기대효과 중 노동력 절감은 가장 큰 기대를 받고 있다. 우리나라를 보면 농가 인구는 매년 감소하고 있으며, 그 농가 인구의 44.5%가 고령층이기 때문에 노동력이 현저히 부족한데, 이를 스마트 팜과의 접목을 통해 해결할 수 있을 것으로 전망된다.

	2016년	2020년
농수산 식품 수출액(억 달러)	104	140
농촌복지 체감 만족도(%)	60	62
농업의 6차 산업 창업자수(명, 누계)	1,774	3,000
농수산 식품 기술수준(선진국대비, %)	81	90
스마트 팜 도입농가 생산성(%)	27	40

[표 7] 지표로 본 5년 후의 모습

현재 농업에서의 큰 문제점 중 다른 하나는 수입 농산물이 매년 증가하고 전체 산업에서 농업의 비중은 계속 낮아지고 있다는 것이다. 국내 총생산 중 농림어업이 차지하는 비중은 2016년 2.9%에서 2018년 2.7%로 감소하였다. 이처럼 현재 국내에서는 농업활성화를 위한 대책 마련이 시급한 상황인데, 스마트 농업 기술이 추진되면 이를 해결할 수 있을 것으로 전망된다.

스마트 농업의 기대 효과로는 발달된 기술과 경영 시스템을 통해 농업 경쟁력을 강화할 수 있으며, 농작물 유통의 비효율성을 해결하기 위해 전자상거래 등을 이용함으로써 농산물 유통 효율이 높아 질것으로 기대된다. 또한 이에 따라 컨설팅, S/W, 농기자재 기업 등에서 고용이 창출 될 것으로 기대된다.

이외에도 스마트 팜을 이용하면 생산성 향상, 병해충·질병 감소, 창년 창업 생태계 조성과 같은 기대효과를 얻을 수 있다. 이에 대해 자세히 살펴보도록 하자.

1) 생산성 향상[7]

농림축산식품부가 2018년 시설원예 분야 스마트팜 도입 1년차 150개표본 농가를 대상으로 실시한 설문조사에서 시설원예 농가의 스마트팜 도입에 따른 생산성(단위 면적당 생산량)은 31.1%, 투입노동 1인당 생산량은 21.1% 향상된 것으로 나타났으며, 품질 향상, 소득 향상 효과도 높게 나타났다.

다만, 에너지비용은 6,080원/3.3㎡에서 6,100원/3.3㎡으로 3.3㎡당 20원이 증가(0.3%)한 것으로 나타났다. 스마트팜 참여농가의 만족 요인들은 영농편리성 > 삶의 질 변화 > 생산성 증대 > 노동의 질 변화 > 품질향상 > 투입비용 절감의 순으로 나타났으며, 다른 농가에 추천 의향 및 시설확대 의향도 5.70~5.75점(7점 만점)으로 나타났다.

구분		항목	단위	도입전	도입후	증감율(%)
영농 효율성	생산성	단위면적당 생산량	kg/3.3㎡	19.04	24.95	31.06
		투입노동 단위당 생산량	kg/인	12,620	15,276	21.05
	노동력 절감	고용노동비	천원/3.3㎡	9.58	11.59	20.92
		자가노동시간	시간/3.3㎡	1.365	1.294	-5.26
		의사결정 노동시간	시간/3.3㎡	0.254	0.271	6.81
	품질향상	상품	kg/3.3㎡	18.57	24.44	31.62
		고품질 생산	kg/3.3㎡	11.27	15.67	29.13
	비용 절감	에너지 비용	천원/3.3㎡	6.08	6.10	0.30
경제적 효과	조수입향상		천원/3.3㎡	63.95	79.38	24.14
	소득향상		천원/3.3㎡	27.15	34.91	28.60

[표 8] 시설원예 농가의 스마트팜 도입에 따른 성과 조사

7) 스마트팜 확산·보급 사업 현황과 과제 - 농업분야 ICT 융복합사업을 중심으로, 국회입법조사처, (2019)

2) 병해충·질병 감소

농촌진흥청의 시설딸기의 재배 편의성을 높이고 온실 내부의 재배 환경을 개선하는 '정보통신기술 융합 시설딸기 온도와 습도 환경제어 시범사업' 결과, 잿빛곰팡이는 줄고 농가 만족도가 높게 나타났다.

본 사업의 기술을 양주, 속초, 옥천, 익산, 순천 등 전국의 시설딸기 재배농가 10개소에 적용한 결과, 온실 내부의 습기가 제거돼 환경이 쾌적해지고 일부 시범농가에서 잿빛곰팡이 발병률이 20% 감소했다. 또한 이용 농가 92%가 보급 기술에 대해 만족했다.

또한, 축산시설에 온도·습도 수집 및 사료 자동 급이장치, 송아지 젖먹이 로봇 등 ICT 융복합 장비를 설치하고 도입 전과 도입 후 2년간의 생산성을 분석한 결과, 암소의 비 임신 기간을 나타내는 평균 공태일은 60일 이상에서 45일로, 송아지 폐사율은 약 10%에서 5%로 줄어든 것으로 나타났다.

3) 청년 창업 생태계 조성

영농지식과 기반이 없는 청년도 작물 재배기술, 스마트기기 운용, 온실관리, 경영·마케팅 등의 기술을 통해 스마트팜을 운영할 수 있다. 따라서 스마트팜은 청년들이 농업에 도전할 수 있는 생태계를 구축할 수 있다.

정부 역시 오는 2022년까지 5년 내 스마트팜 청년 농업인(39세 이하) 600명을 육성함으로써 청년일자리를 증가할 계획이다. 이를 위해 스마트팜 창업 청년에게 싼 임대료로 땅을 빌려주고 최대 30억 원까지 대출 해주기로 했다.

또한 4개의 스마트팜 혁신 밸리를 조성하여 청년창업보육센터와 청년 임대형 스마트팜, 스마트팜 실증단지를 건설한다. 스마트팜 혁신밸리는 스마트팜 집적화, 청년창업, 기술혁신 등 생산·교육·연구 기능이 집약된 첨단 융복합 클러스터를 의미한다.

농식품부는 2017년 기준 시설원예 4천 10ha, 축사 790호인 스마트팜 규모를 2022년까지 7천 ha, 5천 750호까지 확대될 것으로 보고 있다. 보육센터를 수료한 청년 농업인 등은 막대한 초기 시설투자 없이, 적정 임대료만 내고도 스마트팜 창업이 가능하다.

02 스마트 팜 생산 부문별 개념 및 필요성

2. 스마트 팜 생산 부문별 개념 및 필요성

가. 스마트 원예

1) 개념

원예 산업에서 스마트 농업이란 농산물의 생산 과정에 ICT기술을 접목시켜 생산성과 부가가치를 향상시키는 작업이다. 가장 대표적으로 스마트 온실을 예를 들을 수 있는데, 이는 온실 내의 자동제어나, 원격감지, 원격제어, 생산에 필요한 농작업의 기계화 등을 통해 원예 산업에서의 스마트 농업의 유형으로 들 수 있다.

스마트 온실은 유리온실의 온도와 습도, CO2 등을 PC나 모바일을 이용하여 모니터링하고 창문개폐, 영양분 공급 등을 원격 자동으로 제어한다. 이러한 기술들을 이용하여 궁극적으로는 작물의 최적 생장환경을 유지할 수 있으며 그 결과 생산성을 높여주게 된다. 또한, 이를 조절하기 위해 종사자가 직접 찾아가지 않고 신속한 대응을 할 수 있다. 이렇게 재배 시설의 환경을 원격으로 조절하면 농업인의 노동 부담을 완화시킬 수 있게 된다.

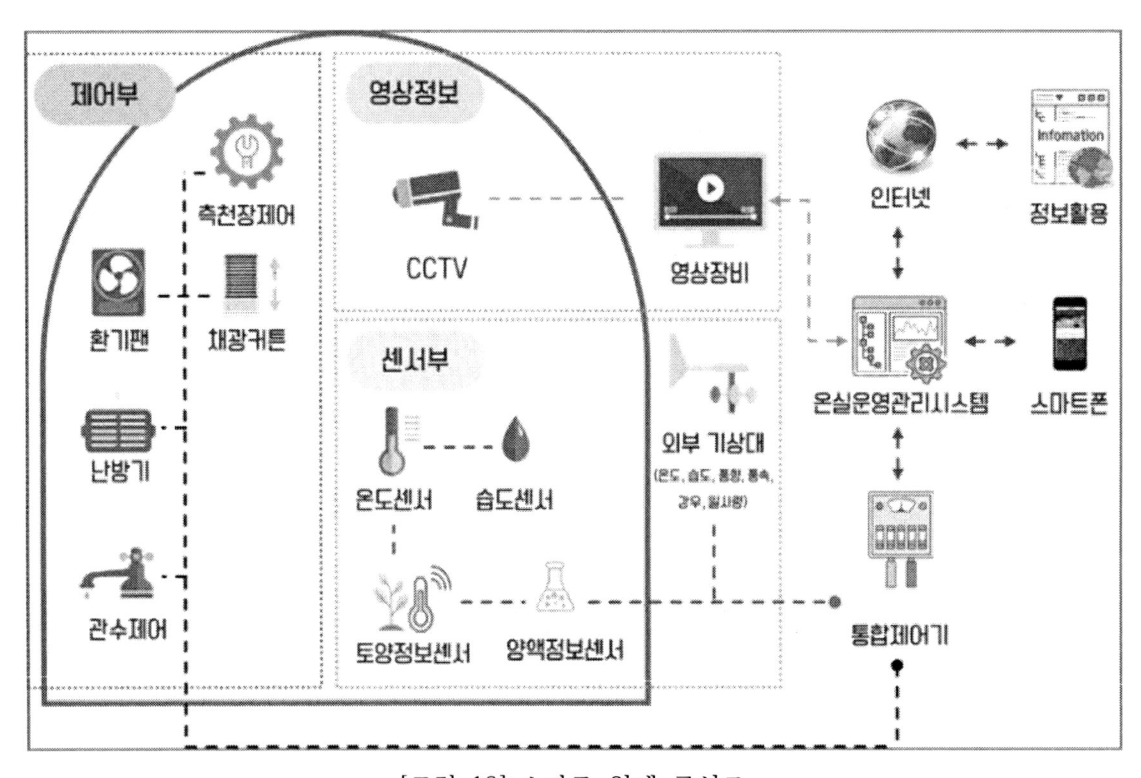

[그림 12] 스마트 원예 구성도

구분		세부내역
환경센서	내부	온도, 습도, CO2, 토양수분(토경), 양액측정센서(양액농도 EC, 산도 PH), 수분센서(배지)등
	외부	온도, 습도, 풍향/풍속, 강우, 일사량 등
영상장비		적외선카메라, DVR(녹화장비) 등
시설별 제어 및 통합제어 장비		환기, 난방, 에너지 절감시설, 차광 커튼, 유동팬, 온수/난방수 조절, 모터제어, 양액기 제어, LED 등
최적 생육환경 정보관리시스템		실시간 생장환경 모니터링 및 시설물 제어 환경 및 생육정보 DB 분석 시스템 등

[표 9] 스마트원예 구성요소

2) 관련 시설

가) 온실 제어

최근 스마트 설비가 갖춰진 온실의 보급이 증대 되고 있으며, 과거에는 이러한 유리 온실을 설치하기 위해서는 외국에서 개발된 설비업체를 통해 설치를 하는 것이 일반적이었다면, 최근에는 국내의 기술로 개발된 국내 온실 환경의 설비가 개발·보급되고 대중화가 되고 있다. 최근 센서, 자동개폐, 양액 공급, 원격 관리 등의 대부분의 스마트 온실에 필요한 제어 장비도 국산화 되어가고 있다.

스마트 설비가 갖춰진 온실에서는 온실내의 여러 센서들과 컨트롤러, 개폐기 등이 조합되어 환경 모니터링에 따른 시설의 작동을 원활히 할 수 있도록 구성되어 있다. 또한, 온·습도를 감지하고 필요한 경우에 자동으로 냉난방을 가동하여 온습도를 조절하고 자동으로 개폐를 통해 가스 농도를 조절하는 설비도 보급화 되고 있으며, 인터넷이나 여러 통신망을 활용하여 환경 변화에 따를 정보를 원격지의 농업 종사자나 그 정보를 분석하는 기관에 제공하는 시스템 또한 보급되고 있다.

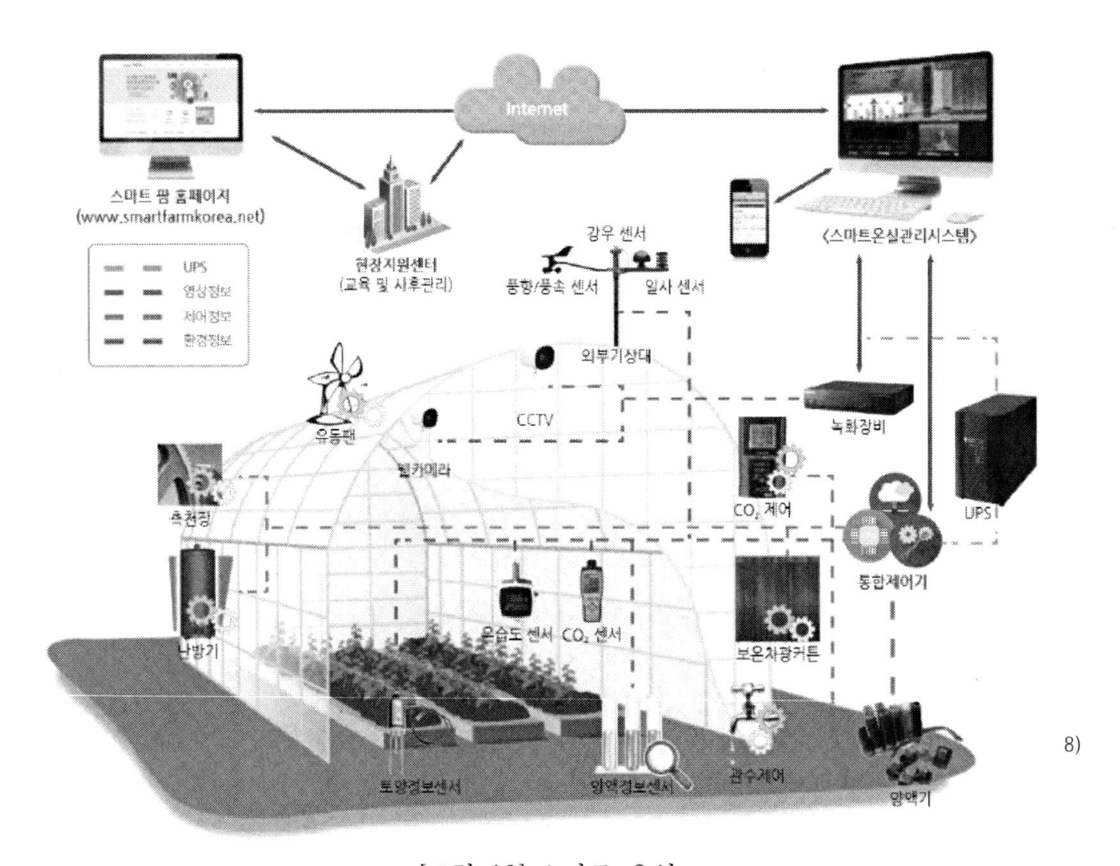

8)

[그림 13] 스마트 온실

8) http://www.smartfarmkorea.net/contents/view.do?menuId=M0101010101

나) 주변 환경을 감지하는 통합 센서

생육환경을 모니터링 할 수 있는 통합 센서 장비가 국내에서 개발되어 보급 되고 있는 추세이다. 이 장비에서는 토양의 물리화학적 특성을 종합적으로 모니터링 할 수 있는 센서 패키지를 활용하고 있다.

이를 통해 사용자는 재배 환경을 집 등 원격지에서 모니터링을 할 수 있어서 환경에 변화에 따라 신속하게 대응 할 수 있을 뿐만 아니라 무선인터넷을 통해 주기적으로 환경 정보 모니터링의 자료를 전송 받을 수 있다.

다) 자동 선별 시스템

과거 과실의 크기나 당도 등을 정해진 기준에 따라 분류를 하는 작업은 사람이 직접 해야하는 작업이었다. 하지만 최근 자동 선별 시스템이 보급되고 있는데, 이 또한 도입 초기 해외기술의 수입에 의존되었으나, 최근 국내 개발된 기술로 보급되고 있다.

자동 선별 시스템을 통해 선별과정에 들어가는 노동력을 절감시킬 수 있으며, 품질 기준 따른 정확도 높은 설별이 가능하며 상품성을 일정하도록 유지 시킬 수 있다. 또한, 선별과정에 발생하는 자료들로 데이터베이스를 구축하고 그 자료로 활용하여 품질 개선이나 여러 분야 자료로 활용할 수 있다.

과거에는 크기 중심의 선별기가 주로 이용되었는데, 이는 농가의 대부분이 저렴한 선별기 가격과 운용비용, 그리고 이용편이성을 중시하여 왔기 때문이다. 그러나 이와 같은 크기 중심의 선별방식은 소비자의 과일소비 고급화 추세에 효과적으로 대응하지 못하는 문제점을 노출하였고 이러한 문제점을 극복하기 위해 비파괴 선별 기술이 대두되었다. 비파괴 자동 선별기는 도입 초기에 주로 수입에 의존하였으나, 최근에는 국내 기술로 개발된 비파괴 자동 선별기도 보급되고 있다. 최근 설립된 과실이나 과채류 산지 유통센터에는 비파괴 자동 선별기를 설치하는 것이 일반적이다.

[그림 14] 자동 선별 시스템

비파괴 자동 선별기는 선별과정에서 투입되는 노동력을 절감시킬 수 있으며, 품질 기준에 따른 정확한 선별이 가능하여 농산물의 상품성을 제고시킬 수 있다. 보통 선별과정에서는 노동력이 집중적으로 투입되어야 하지만 비파괴 자동 선별기를 활용하면 선별 과정에서 투입되는 노동력을 절감시킬 수 있으며, 이에 따라 농업 생산의 규모와 산지유통 조직의 규모 확장을 가능하게 할 수 있다.

또한 비파괴 자동 선별기는 수작업으로는 불가능한 당도 등을 선별이 가능하며, 색이나 중량 선별도 수작업보다 정확하고 신속하게 분류할 수 있어 농산물의 상품성을 향상시킬 수 있다. 선별 과정에서 발생한 자료는 데이터베이스로 구축하여 공동계산의 근거로 활용되며, 향후 품질 개선을 위한 기초 자료로 활용할 수 있다.

최근 국내에서는 APC(Agricultural Products Processing Complex)라고 불리는 농산물산지유통센터가 큰 성과를 보이고 있다. APC는 수확한 과일, 채소, 과채류 등 원예농산물을 시장이 요구하는 품질과 규격에 적합하도록 선별·포장하는 상품화 기능과 집하·저장·출하 등 물류기능을 수행하는 복합시설이다.

APC는 소비자에게 보다 안전한 먹거리를 제공함과 동시에 고령화, 일손 부족 등 한국 농업계의 각종 문제를 해결하고 있다. 최근 새로 지어지는 APC에는 농산물 가공·유통과정을 혁신할 신기술들이 가장 먼저 도입된다. 4차 산업혁명 시대로의 전환이 더딘 농업계에서 기술 허브 역할을 하고 있는 것이다. 또 소포장과 택배 사업 등을 통해 1인가구 증가 등 인구구조 변화 및 코로나19 사태로 확산한 언택트 문화, 유통환경 변화에도 발 빠르게 대응하고 있다.[9]

라) 식물 공장[10]

식물공장이란 기존에 땅에서 식물을 키우던 방식에서 벗어나 식물의 특성에 따라 적합한 인공적 환경을 제공함으로써 식물을 재배하는 자동 시스템을 의미하며, 식물공장은 현재 농업기술의 문제점을 해결하기 위한 획기적인 시스템으로 날씨나 계절과 관계없이 농작물을 안정적으로 생산하고, 비료나 농약 사용량을 크게 줄일 수 있다는 장점을 가지고 있다.

농업의 발전단계는 작물을 일반 자연 상태 농경지에서 재배하던 방식에서 비닐하우스로 재배되는 시설재배, 식물을 영양 배지가 첨가된 물에서 키우는 수경재배에 이어서 식물이 자라기 위해 필요한 빛, 온도, 습도 등 모든 조건의 환경을 제어하는 식물공장으로 발전해왔다.

---

9) 과일 출하 돕는 로봇팔 등장… 농가 편해지고 소비자는 안심 [농어촌이 미래다 - 그린라이프], 세계일보 (2020)
10) 미래형 농업기술에 관한 동향 및 전망, 이규하, BRIC View 2019-T36

구분	노지재배	시설재배	수경재배	식물공장
농업적 이미지	전통농업	근대농업	현대농업	미래농업
공간적 구성	농경지	농경지 + 시설	온실 + 시설	건물 + 시설
기관	토양	토양 + 시설	시설 + 기술	시설 + 기술 + 과학
비료원(비효)	토양 + 비료(완효성)	토양 + 관주(완효성)	양액(속효성)	양액 + 공급 프로그램(속효성)
생산 주기	계절적	반계절적	반계절적	주년생산 공급
생산주기 별 상품성	적기에만 우수	계절적으로 맛과 영양부족	시설재배와 동일 수준	과학적 제어시스템으로 연중 동일
수량구성요소 환경	자연	부분적 인공	부분적 인공	완전 인공
수량구성요소 유전성	자연	자연	자연 + 인공	자연 + 인공
수량구성요소 재배기술	자연 순응	자연 회피 + 생리 활성	자연 극복 + 생리 활성	자연 회피 + 생물학적 지식 집전
수량성	자연에 의존	부분적 극복	부분적 극복	완전 극복 (최대 수량)
안전성	화학적 방제 불가피 (지배자 중심)	화학적 방제 심함 (지배자 중심)	부분적 화학적 방재 (지배자+소비자 중심)	무농약 재배 (소비자 중심)

[표 10] 노지재배에서 식물공장까지 농업의 특징

현재 국내에서 농촌진흥청(농진청)이 개발한 식물공장은 빌딩형과 수직형으로 식물공장에서 씨앗이 발아해 수확 단계에 이를 때까지 빛의 양과 온도, 배양액 등 모든 조건을 조절한다. 식물공장은 융복합기술인 아래와 같이 IT, NT, BT 기술을 적용하여 농업기술에 향상을 진행 중이다.

① IT (Information Technology): 환경 및 광 제어기술, 영상처리, 감지 기술, 계측 기술
② NT (Nano Technology): 바이오센서, 영양액 살균, 초소형반응분석 칩
③ BT (Bio Technology): 품종 육성, 미생물 제제, 바이오 기능성 물질

(1) 식물공장 특징

식물공장은 노지재배와 같은 타 생산 방식에 비하여 환경에 영향을 덜 받고 통제된 환경에서 관리하기 때문에 1년 내내 안정적으로 농업생산이 가능하다.

① 외부 환경과 무관

지구 온난화와 환경문제 악화는 겨울에 홍수나 여름에 가뭄 등과 같은 이상기후 현상을 일으킴으로써 식물 성장에 큰 영향을 미치나 식물공장은 외부의 환경과 거의 무관하다. 계절과 상관이 없으므로 농산물의 1년 내 생산이 가능하고, 노동력을 계절이나 날씨에 상관없이 투입하므로 안정적으로 근로시간 배분이 가능하기 때문에 농업소득 안정화를 도모한다. 또한 정해진 통제하에 첨단 기술 적용으로 생육 기간의 단축과 단위 면적당 높은 생산성을 통해 안정적인 영농이 가능하다는 장점을 갖는다.

② 다양한 종류의 농업 가능

지리적 입지나 지역 풍토에 영향을 받지 않고 다양한 종류의 농업이 가능하다. 초기 비용상에서는 차이가 있지만, 제한적인 농업만 가능한 지역에서도 실현 가능하다는 장점이 있다.

③ 균일하고 규격화된 생산 가능

거의 균일하게 규격화하여 생산이 가능하므로 가격 결정이 쉽고 소득 예측이 가능하다. 식물공장은 통제가 가능한 공정을 통해 최적화된 환경을 조성하기 때문에 농산물의 품질이 매우 우수하다. LED를 이용하여 생산물에 따른 선택적 파장을 공급 함으로써 식물의 색소 제어나 항산화물질 증가, 병해충 방제 효과를 나타낸다.

④ 생산 필요 요소 저 투입 농업 가능

생산에 필요한 요소에 있어 저 투입 농업이 가능하고, 소비지와 근접한 시장성을 추구할 수 있다. 식물공장은 정밀농업이 가능하여 효과적으로 토지를 활용 할 수 있고, 노동력과 노동시간의 감이 가능하다. 쾌적한 작업환경의 조성이 가능함에 따라 작업이 편해지고 재래식 농사 작업 노동 기피 현상도 방지 가능하다. 또한 대도시의 소비시장과 인접한 위치에 자리 잡을 수 있게 됨에 따라 수송 거리를 짧게 유지 할 수 있어 신선도 유지와 운송비 절감이 가능하다.

⑤ 소비자 기호의 능동적 대처 가능

농산물에 대한 소비 패턴과 소비자 기호에 따라 능동적으로 대처가 가능하다. 국민소득에 따라 품질 향상 농산물 수요 및 개인 특성에 맞는 맞춤형 농산물, 계절과 상관없는 과실 및 채소의 생산이 가능하다. 식물공장의 활용은 소비시장 변화에 빠르게 대응할 수 있고, 시장 상황에 따른 품목 변경 및 시설구조 변경 등이 용이하다.

(2) 식물공장 핵심기술

식물공장의 5대 핵심기술은 농진청에서 발행한 '새로운 성장동력, 식물공장'의 요약한 내용을 토대로 확인 할 수 있다.

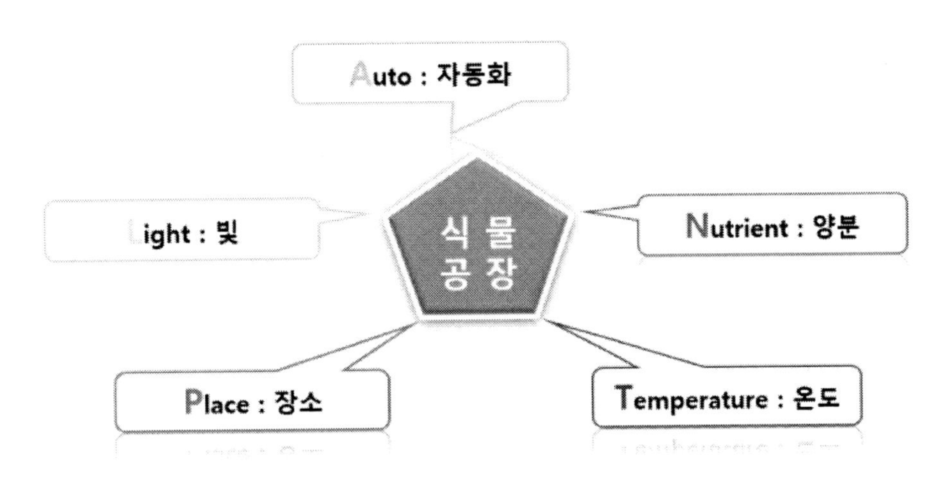

[그림 15] 식물공장 5대핵심기술: P.L.A.N.T

핵심기술	내용
장소(Place)	농진청은 식물공장의 활성화를 위하여 남극 세종과학기지에 식물공장을 컨테이너 형으로 공급함으로써 보급물자로만 가능했던 채소류 자급이 가능하게 되었다.
빛(Light)	식물이 성장하기 위한 주요 요소 중 하나인 빛의 유형은 인공광, 혼합광, 태양광과 같은 3가지 광원으로 나누어지며, 식물공장에서는 이 중 인공광을 이용하여 장소나 날씨, 시간에 상관없이 일조 시간을 확보하고 있다. 최근에는 빛의 파장에 따른 식물에 성장을 위해서 광원 연구와 관련된 LED 개발 관련된 시설이 증가하고 있다.
자동화(Auto)	식물의 생산과정과 관련된 업무, 환경제어 및 관리와 관련된 모든 과정을 자동화하는 기술 개발이 급격하게 성장하고 있으며, 농진청에서는 완전하게 자동화 된 식물공장을 개발하기 위하여 식물 생산을 위한 모든 과정에 사용할 수 있는 로봇의 개발을 추진중에 있다.
양분(Nutrient)	식물공장에서는 기존에 생산 방식과는 다르게 영양액을 이용함으로써 식물에 필요한 영양분을 공급할 수 있으며, 이는 경제적 관점에서 뿐만 아니라 환경적으로 매우 이롭다. 식물공장에서 재배 식물에 따른 필수 영양분의 종류 및 양을 제어하는 각종 기술에 대한 연구는 활발히 진행되고 있다.
온도(Temperature)	식물이 성장하기 위한 또 다른 주요 요소 중 하나는 온도로써 식물에 성장 시기에 따라 적절한 온도를 제어해주는 기술은 필수적이다. 식물공장에서는 계절이나 시간에 상관없이 식물 생육에 맞춰 온도 센서를 이용하여 적절한 조건을 제공함으로써 작물의 재배가 가능하다.

[표 11] 식물공장 5대 핵심기술의 분류 및 내용

(3) 식물공장 대표 식물

식물공장의 대표적인 몇 가지 식물이 있는데 그중에 '유전자변형식물', '생약식물'에 대하여 살펴보도록 하자.

(가) 유전자변형식물

국내의 식물 공장의 유전자 변형식물을 이용한 유용 물질 생산은 연구 개발 단계에 진행 중이며 아직까지 대부분이 실용화되지 못하고 있다. 해외에서는 유전자 변형식물을 생산하기 위한 식물 공장의 건설 사업이 이미 수행되고 있으며 카지마건설(일본), 아사히공업사(일본) 등이 주로 이를 진행하고 있다. 또한, 세계적으로 식물공장을 통한 고기능·고부가가치 식물생산 중에서 유전자 변형식물을 이용한 유용 물질 생산의 연구 개발은 활발하게 진행되고 있다.

분야	2015년	2020년	2025년	2030
유전자 변형식물	10	70	120	160
생약 식물	2.3	23	30	35
고기능성식물	10	60	130	190
비고	-실용화의 시작 -기능성물질 생산 기업의 사업화	-인간용 가축용 백신 실용화 -기업들의 증가	-인간용 백신실용화	-신규개발 프로젝트의 실용화

[표 12] 일본 유전자 변형 식물공장

일본의 유전자변형 식물공장은 약 2015년에 처음으로 유전자변형식물 유래의 고부가가치 물질의 사업화 실현을 목적으로 약 10억 엔 가량의 시장을 창출 하였고 이후 2020년 까지 약 70억 엔 이상의 시장으로 확대될 것으로 예상된다. 이후 2025년, 2030년에는 약 120억, 160억 엔 가치로 확대 될 것으로 전망 된다.

(나) 생약식물

식물공장을 통한 생약식물의 생산 및 판매는 아직 까지 실용화 되어 있지 않다. 이는 식물공장에서의 생약식물 생산의 필요성이 인식되지 않기 때문이다. 하지만 향후 한약 이외의 식물공장에서 생산되는 생약식물시장의 규모는 점차 증가될 것으로 전망된다.

한국에서는 (재)전주생물소재연구소가 완전 폐쇄형 식물공장에서 약용 식물인 인삼 재배에 성공하였고, 유용물질 함량 증진 연구를 진행하고 있다. LED농생명융합기술연구센터는 식물공장에서 영양 성분을 달리한 상추, 케일 등을 생산하고 있고, 향후에는 감초, 인삼 등 고부가가치 약용 식물을 재배할 계획이다. 아이팜은 전용 식물공장에서 약용식물인 인삼을 재배하고 있다.

[그림 16] 식물공장의 LED 조명

나. 스마트 과수·축산

1) 개념

과수 농가의 스마트 팜 활용은 앞서 간략한 언급이 있었지만 관수와 관비 및 병해충의 예측·관찰 중심으로 활용되고 있으며, 배·사과 농가 등에서 활용되고 있다. 현대 국내 축산 중 스마트 축사에는 ICT 기술이 부분적으로 적용되어 사료급여 시설 자동화, 환경모니터링 등의 특정 분야에 집중되어 있다.

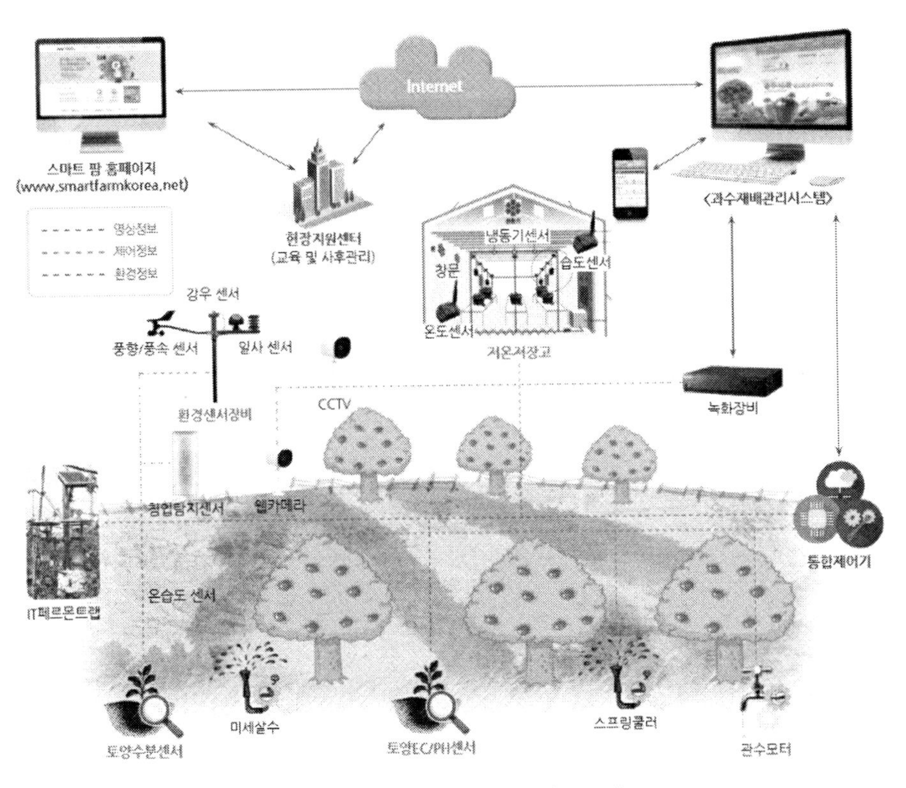

[그림 17] 스마트 과수원 구성도

구분	세부내역
환경 센터	온도, 습도, 토양수분(토경), 양액측정센서(양액농도 EC, 산도 PH), 수분센서(배지), 풍향/풍속, 감우, 일사량 등
영상장비	CCTV, 웹카메라, DVR 등
시설별 제어 및 통합제어 장비	에너지 절감시설, 관수모터제어, 양액기 제어 등
최적 생육환경 정보관리 시스템	실시간 생장환경 모니터링 및 시설물 제어 환경 및 생육정보 DB분석 시스템

[표 13] 스마트 과수원 주요 구성요소

축종별로 보면 양돈/양계의 축사의 경우 기계화, 자동화 및 규모화가 빠르게 진행되고 있어 ICT 기반 기술이 상당부분 적용되고 있다. 이에 반해 낙농/한우 부문은 아직 발달하지 못하고 있다.

시설원예와 같은 농업분야에 비하면 축산 분야는 아직 도입단계이지만 가축의 하나하나의 정보를 수집 분석하여 다양한 정보를 보급하고 대체 한다면 더 빠르고 정확한 성과가 나올 것으로 기대된다. 앞으로 빅데이터를 이용하는 개체들의 생육에 최적의 환경을 관리해주는 소프트웨어가 보급 될 예정이며, 이는 보다 높은 수준의 생산성과 효과를 가지게 될 것으로 예상 된다.

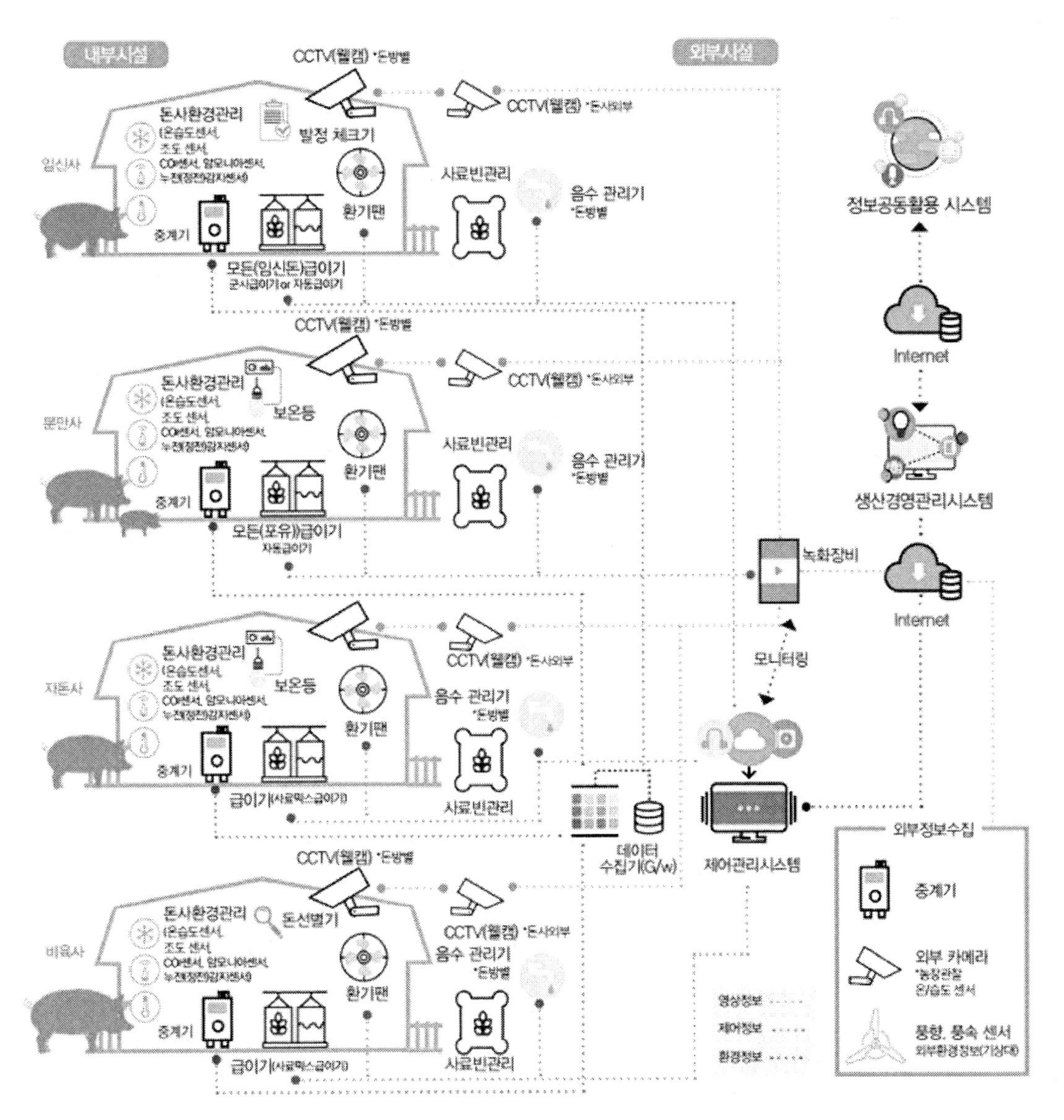

[그림 18] 스마트축산 구성도

11)

11) 농림축산부 2017

구분		세부내역
환경센서	내부	온·습도, 암모니아, 음수측정 등
	외부	온·습도, 풍향·속 등
사료단계별급이기		모돈자동급이기, 포유돈 급이기, 자돈 급이기 등
제어관리시스템		급이장치, 돈선별기, 사료빈관리기, 음수관리기 등
정보관리장비		카메라, 녹화장비, 네트워크, 모돈발정체크기 등

[표 14] 스마트축사 구성요소

축산분야에서의 스마트팜은 ICT 융합 축산생산·경영시스템으로 원예 등 다른 분야들과 달리 각각의 '개체관리'가 가능하다는 장점이 있다. 축산 부문은 양돈과 양계, 오리를 중심으로 진행되고 있으며, 규모 또한 빠르게 진행되고 있다.

스마트 축사는 IT를 기반으로 생산기술이 발달한 품목이라 할 수 있으며, 살아있는 동물을 사육, 도축한 후, 유통 소비에 걸치기 때문에 위생수준제고 등 식품안전에 매우 중요한 품목이라 할 수 있다.

이러한 ICT를 융복합한 사례에는 동물의 행동을 제어하는 로봇 기술, 특정부위에 약물을 전달하여 항생제와 영양조절을 수행하는 기능, 가축들의 개량을 위한 자료, 즉 데이터를 수집하는 시스템부터 분석, 보급 하는 시스템까지 포괄적인 기술이 존재한다.

농가의 축사에 여러 종류의 센스를 부착하여 가축의 상태에 대한 정보를 수집할 수도 있는데, 한우 인공수정 기록관리 시스템 역시 정액이나 수정일자, 정보를 실시간으로 전송하고 기록하는 시스템이 이러한 예라고 할 수 있다.

2) 관련 시설

가) 축산 생산 이력시스템

생산 이력시스템이란 가축의 출생부터 도축 및 가공 소비에 이르기까지 정보를 관리하여 위생상의 문제나 안전성을 확보하기 위한 시스템으로 이 시스템을 활용하면 개체들의 유통의 투명성을 확보 할 수 있으며, 소비자들은 안심하고 구매 할 수 있다.

국내에서는 2007년 『소 및 쇠고기 이력추적에 관한 법률』이 제정되면서 모든 소와 쇠고기에 이력 시스템이 적용 추진되고 있다. 이에 반해 돼지의 경우는 일부 신청업체들 대상으로만 시행되고 있다.

최근 국내에서는 정부와 유통기업이 축산물 이력에 블록체인을 적용해 실사용을 위한 준비단계에 있다. 어쩌면 쇠고기가 국내서 가장 먼저 블록체인을 거쳐 밥상으로 올라오는 먹거리가 될 수 있다. 롯데정보통신은 자체 블록체인 플랫폼 랄프(LALP)를 오픈한다. 개발이 완료된 시스템 가운데 축산물종합관리시스템은 축산물의 매입, 유통과정에 단계별 정보를 생성해 블록체인 분산원장에 공유하는 방식이다.12)

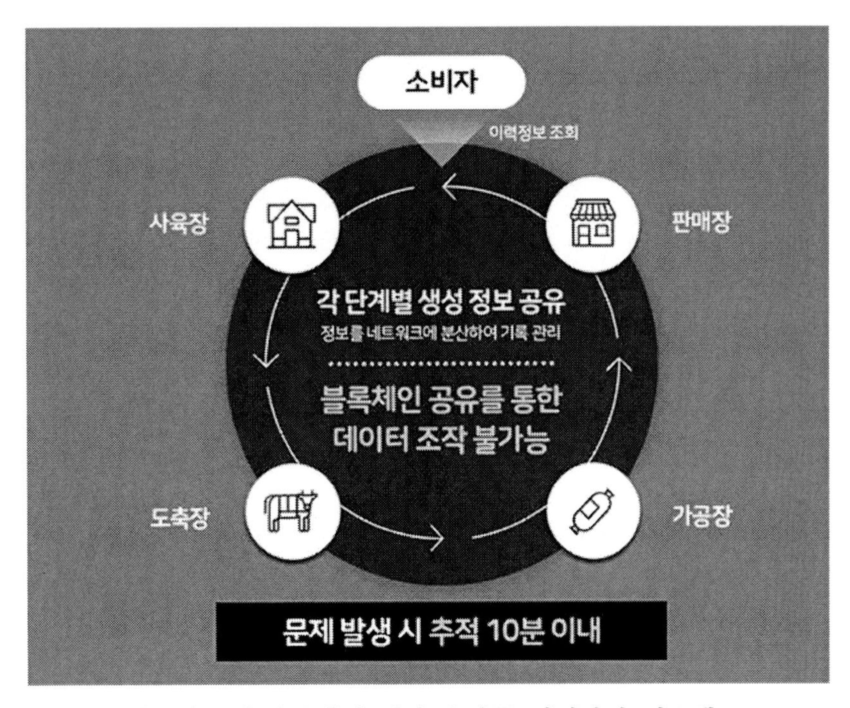

[그림 19] 블록체인 기반 축산물 이력관리 시스템

스마트팜 축산 전문기업인 유라이크코리아는 블록체인 기술을 활용해 가축의 생육 단계에서부터 출하, 육가공, 유통 단계까지 투명하게 관리할 수 있는 축산물 이력추적 시스템을 개발했다. 소마다 300건 이상의 생체 데이터를 블록체인 서버로 전송·관리해 외부 부착형 이표와 달리 위·변조를 할 수 없다고 한다.13)

12) [Pick] 블록체인 타고 온 쇠고기...식탁에 오르는 푸드테크, 비아이뉴스(2020)
13) 유라이크코리아, 블록체인 기술로 직접 키운 한우 '완벽한' 출시, 조선비즈 (2021)

나) 지능형 축사

지능형 축사란 양돈의 전 과정에 부분적으로 센서를 이용한 감지와 이를 제어하는 기술이 구체화 되어있는 자동화 시스템이다. 지능형 축사의 핵심기술은 센서를 이용하여 축사 내 문제점을 감지하고, 이를 제어하기 위한 기술 및 통신기술이라고 할 수 있다. 지능형 축사의 경우 환기센서 온도센서 등의 센서가 조화롭게 상용되기 때문에 축사환경을 더욱 잘 관리할 수 있으며 최근 더 나아가 부족한 센서들의 개발도 진행 되고 있다. 개발 되고 있는 센서로는 발정감지 센서, 분뇨 감지 센서 등이 있다.

낙농업에 있어서 정보통신기술(ICT)을 이용한 지능형 젖소(축사)관리시스템을 실현하기 위해서 구현해야하는 항목들은 다음과 같다.

① 우군관리 시스템

우군관리는 우사 내 CCTV 설치 및 스마트캠 시스템을 도입하여 개체별 행동분석, 번식 징후, 질병관리, 습성 등을 화상으로 파악하고 이를 통한 개체관리가 가능하며, 이들의 개체 습성들을 전산 자료화하여 종합관리 할 수 있다.

② 급이관리시스템

자동화 급이시스템에 따른 농후사료 공급을 전자동화 할 수 있으며 사료의 입출내역을 전산자동화하여 관리하고 개체별 사료급이량 파악 및 조절이 가능할 것으로 판단된다.

③ 스마트 착유관리시스템

로봇착유기를 이용한 착유관리의 자동화를 구현할 수 있다.

④ 원격관리

원유의 위생관리상황을 전자동화하고 화상캠 시스템과 스마트 폰을 이용한 원격관리가 가능할 것으로 판단된다. 또한, 목장환경관리시스템을 원격관리 할 수 있을 것이다. 이는 자동 음수관리, 온습도 조절 및 제어관리 등을 포함할 수 있다.

⑤ 경영관리의 자동화

경영관리의 자동화를 통하여 사료의 입출내역 및 원유의 납유 기록을 전자동화 하여 실시간으로 목장주에게 정보전달을 통한 경영분석이 가능할 것으로 판단된다. 이러한 통합솔루션은 스마트 폰의 앱에 연동하여 원격 농장관리를 실현할 수 있을 것으로 판단되며, 자동화된 낙농관리를 통하여 획기적인 목장 관리를 실현할 수 있다.

다) 양돈 생산·관리 프로그램 운영

과거에서부터 지금까지 해외의 제품에 기대하는 영향이 더 많았지만, 국내의 양돈업계 환경에 맞고 그에 따른 관리 시스템 환경이 개발되고 있다. 스마트 양돈농가 자체가 스마트 전산관리 시스템을 사용하는 비율은 약 20%밖에 되지 않지만 이중에서도 소규모 축산업 종사자보다 대규모 축산 종사자가 경영관리 시스템을 사용하는 비중이 매우 높은 것으로 나타난다.

국내 애그테크기업인 이지팜이 2021년 발간한 보고서에 따르면 국내 모돈의 약 30%에 해당하는 297,673두가 피그플랜 관리를 받고 있다. 이들을 분석한 결과 2020년 피그플랜 사용농가의 모돈당 연간 이유두수(PSY)는 23.5두를 기록했다. 생산성 상하위 농장들의 간극도 심화됐다. 상위 30% 농가는 PSY 26.9, 총산자수 13.6, 이유두수 11.2두를 기록했다. 반면 하위 30% 농가는 각각 20.1, 11.7, 9.4두를 기록해 PSY 6.8두, 총산자수 1.9두, 이유두수 1.8두의 차이를 보였다.14)

대표적으로 국내에 가장 많은 농가에서 쓰는 관리 프로그램 피그플랜을 통해 양돈 생산·관리 시스템에 대해 살펴보도록 하자.

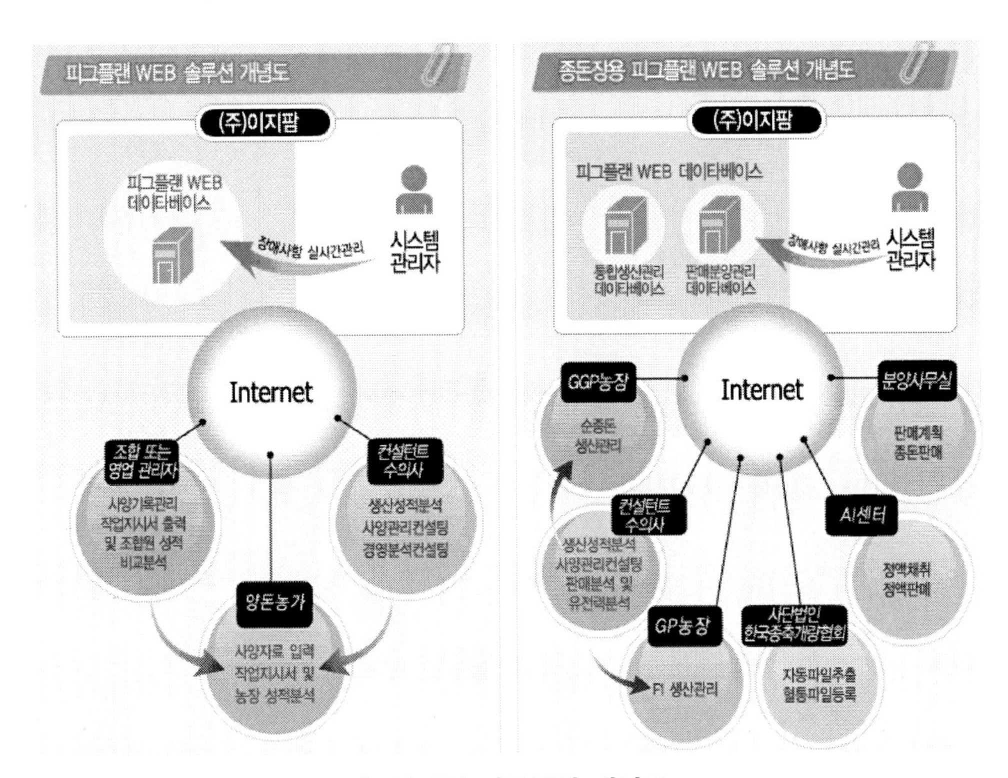

[그림 20] 피그플랜 개념도

피그플랜은 단순 일반 농가용 피그플랜과 종돈장용 피그플랜 2가지의 시스템으로 나눠서 운영되고 있으며, 공통사항으로 방역관리, 농장의 사양관리, 질병관리 등을 지원하며, 특히 종동장용 피그플랜의 경우는 가계도를 바탕으로 선대부돈 및 선대모돈의 추적은 물론 후대 자손들의 성적을 추적하는 것이 가능하다. 또한, 일반 농장용 피그플랜과 연계되어 후대 자손의 성적을 추적하여 AI센터의 종돈개량 및 클레임 관리가 가능하다는 장점이 있다.

14) 피그플랜 양돈농가, 모돈 연간 이유두수 평균 23.5두, 데일리벳 (2021)

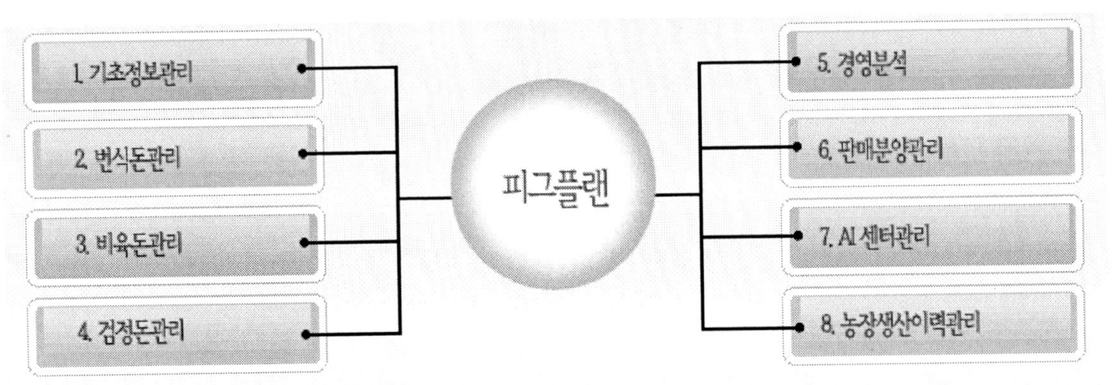

[그림 21] 피그플랜

피그플랜을 총 8가지 관리 항목으로 나누어 살펴보도록 하자.

① 기초정보관리

기초정보관리는 농장 정보 및 프로그램을 사용하기 위해 농장 내의 기본 값을 등록하는 등 농장의 특성상 추가해야할 정보를 사전에 정보를 기입, 수정 하는 기능이다.

② 번식돈 관리

번식돈 관리는 모돈의 전입에서부터 도태까지의 모든 과정을 관리 하며, 다양한 보고서를 통해 농장의 생산성을 분석하는 기능이다.

③ 비육돈 관리

비육돈 관리는 개체관리가 어려운 비육돈을 그룹형태로 관리하며 그룹의 생성에서 도폐사 및 출하 후 종료까지 일련의 작업을 관리하는 기능이다.

④ 검정돈 관리

검정돈 관리는 분만자돈의 명호등록에서부터 혈통등록과 검정기록을 관리하며 전문 기관에서 받은 육종가 분석 파일을 업로드 하여 농가의 육종가 관련하여 분석 보고서를 출력하는 기능이다.

⑤ 경영분석

경영분석은 생산에 필요한 사료, 출하 기타 거래 내역을 관리 하며 농장의 경영 상태를 분석하고 관리 하며 타 농장 간에 비교를 할 수 있도록 정보를 제공하는 기능이다.

⑥ 판매 분양관리

판매 분양관리는 거래처관리부에서부터 종돈의 판매 업무 및 미수금 상환처리까지 관리 하며 거래처별 지역별로 판매현황을 분석하는 기능이다.

⑦ AI 센터관리

AI 센터관리는 개체들의 정액을 채취업무부터 판매 업무에 이르기까지 거래처별, 지역별 현황에 대해 분석 통계를 제공한다. 이외에 여러 기능이 있으며 비슷한 유형의 빅 데이터를 통해 현재의 위치에 대해 평가를 받아 볼 수 있도록 되어 있다.

⑧ 농장 생산이력관리

농장 생산이력관리는 종돈의 양돈장으로서의 이동을 추적하고 야돈장에서의 비육돈의 부모정보를 연계하며 출하, 판매 시 어느 농가에서의 종돈인지 확인 식별할 수 있도록 하는 기능이다.

라) 자동화 착유시스템(AMS)

자동화 착유 시스템이란 사람이 일일이 개입하지 않고 젖소의 유두세척, 착유, 이송 등이 자동화로 이루어진 시스템을 말한다. 착유작업은 낙농업에서의 가장 힘들고 어렵다고 인식되는 작업으로 이러한 이유로 종사자들이 축산을 포기하고 다른 업종으로 전향하는 현상이 빈번하게 일어나는 것이 현실이다.

AMS은 노동력은 덜고, 산유량은 늘리면서 정밀한 젖소 관리를 할 수 있다는 장점이 있다. 농촌진흥청이 고려대학교, 한경대학교와 함께 자동착유시스템을 설치한 농가 20곳과 설치하지 않은 농가 80곳을 대상으로 직접 면접 방식으로 만족도와 설치 희망 여부를 조사한 바에 따르면 시스템을 사용하는 농가의 55%는 만족, 35%는 보통, 10%는 불만족이라고 응답했다. 노동력 절감 측면에서 65%가 만족, 10%가 불만족이라고 답했으며, 유량증가에 대해서는 60%가 만족하는 것으로 나타났다. 설치 동기로는 노동력 절감(65%), 업체홍보, 직원고용 등 기타(20%), 체험목장 전환을 위한 전시효과(10%), 산유량 증가(5%) 등을 꼽았다.

그러나 자동착유시스템은 시스템 운용과 비용 부담으로 널리 보급되지 못하고 있다. 관련조사 결과로 운영상의 어려운 점을 꼽는 문항에서는 유두탐지지연 등으로 인한 기계의 실수(40%), 시스템 유지 및 관리(20%), 미적응 개체관리가(15%) 정도로 나타났으며, 시스템을 도입한 이후 도태되는 원인으로는 부적합 유두배열(55%), 유방염(20%)순으로 나타났다.

시스템을 계약 체결 관련 질문에는 90%가 업체와 계약을 하고 운영 중이며, 한해에 500~700만 원 정도 적지 않는 비용을 지불되고 있다. 이는 국내의 착유 시스템이 없기에 국외에서 수입하여 도입하기 때문으로 나타난다. 조사에 따르면 로봇 착유기 설치 후 유지 보수 계약 체결 금액으로 평균 658만원/년[15] 정도가 투입되고 있는 것으로 나타난다.

자동 착유시스템은 젖소 스스로 차유실로 오도록 유인하고 유두세척 등 착유의 전 과정을 로봇 팔이 대신 하면, 착유 일수 산유량을 고려하여 자동으로 사료를 공급하고, 되새김 시간 섭취량 등을 파악하여 특이 사항이 생겼을 때 농장주에게 문자를 보내 알려준다.

---

15) 국립축산과학원, 로봇 착유기 설치 후 만족도 조사결과 참조

[그림 22] 네덜란드 렐리의 착유로봇 모습

농촌진흥청에서는 자동 착유시스템을 보급하기 위해서는 자금과 부지 확보(54%), 국산화기계 개발(18%), 시설장비 보조와 정리(16%)정도가 필요하다고 보고했으며, 국립축산과학원은 자동 착유시스템 도입을 고려하고 있는 농가에게 합리적인 선택을 할 수 있도록 객관적인 지표를 제공하고, 이미 도입한 농가에는 생산성을 높일 수 있는 방안 등을 제시 하고 있다.

국내에서 자동 착유시스템은 경기지역을 시작으로 보급되기 시작하였으며, 세계 시장에서는 이미 10,000여 곳의 가량의 보급이 진행된 상황이다.

장점	• 노동력절감 • 원격자동화로 인한 여가시간 확도 및 부가가치 개발 • 착유 횟수의 증가로 산유량 증가 • 젖소의 상태 정보를 관리용이
단점	• 값이 비싸서 경제성 고려 • 로봇의 관리 컴퓨터에 대한 지식이 필수 • 고장 시 A/S가 조속히 진행되지 않을 경우 젖소들의 피해

[표 15] 자동 착유시스템(AMS)설치 장단점

브랜드명	제조사	착유 적정두수	가격(원)	착유 형식	구성	유두 감지	유두 세척
갤럭시	네덜란드 Insentec	80~90두 내외	3억 7천 ~4억	RMS (6관절)	분리형 (전자모터) 로봇1대+스톨2대	레이저+ 카메라	별도 세척컵
드라발	스웨덴 DeLaval	50~60두 내외	3억 5천 ~3억 8천	AMS (4관절)	일체형 (공압실린더) 로봇1대+스톨1대	레이저+ 카메라	별도 세척컵
랠리	네덜란드 Lely	50~60두 내외	3억 ~3억 5천	AMS (4관절)	일체형 (공압실린더) 로봇1대+스톨1대	레이저+ 카메라	롤러 브러시

[표 16] 국내에 도입된 로봇 착유기 3개사 기종 비교

16)

최근 농촌진흥청은 농림식품기술기획평가원·㈜다운과 공동으로 로봇착유기 국산화에 성공했다. 이번에 개발된 국산 로봇착유기는 센서를 통해 젖소 개체를 인식하고 젖을 짜야 할 시기가 되면 자동으로 사료를 배출한다. 젖소가 사료를 먹는 동안 로봇착유기에 달린 팔이 젖소 유두에 착유컵을 부착해 우유를 자동으로 짜는 방식이다. 국산 로봇착유기는 농가의 노동력 부족 문제를 해결하는 동시에 기기 구매 부담도 크게 낮출 수 있을 것으로 기대된다.

현재 국내에서 사용되는 로봇착유기는 전량 수입에 의존하는 데다 한대당 가격이 3억~3억 5000만원에 달해 농가들의 구매 부담이 컸다. 또 로봇착유기로 수집된 국내 젖소 생체정보가 외국 회사로 곧바로 넘어가 해당 빅데이터를 국내에서 활용하기 어려운 문제가 있었다. 이에 비해 국산 로봇착유기는 2억원대 가격으로 농가에 보급될 전망이다. 또 우유생산량·우유성분·체세포수 등 빅데이터 수집이 가능해 정밀 사양관리에 활용할 수 있게 된다. 농진청은 2022년에 농가 5곳을 대상으로 시범사업을 추진하고, 2023년부터는 낙농가에 국산 로봇착유기를 본격 보급할 예정이다.[17)]

16) 국립축산과학원, 자동 착유시스템 농가적용기술개발 및 경제성 분석 연구 참조
17) 젖소 로봇착유기 국산화 '성공', 농민신문 (2021)

마) 스마트 양계 시스템

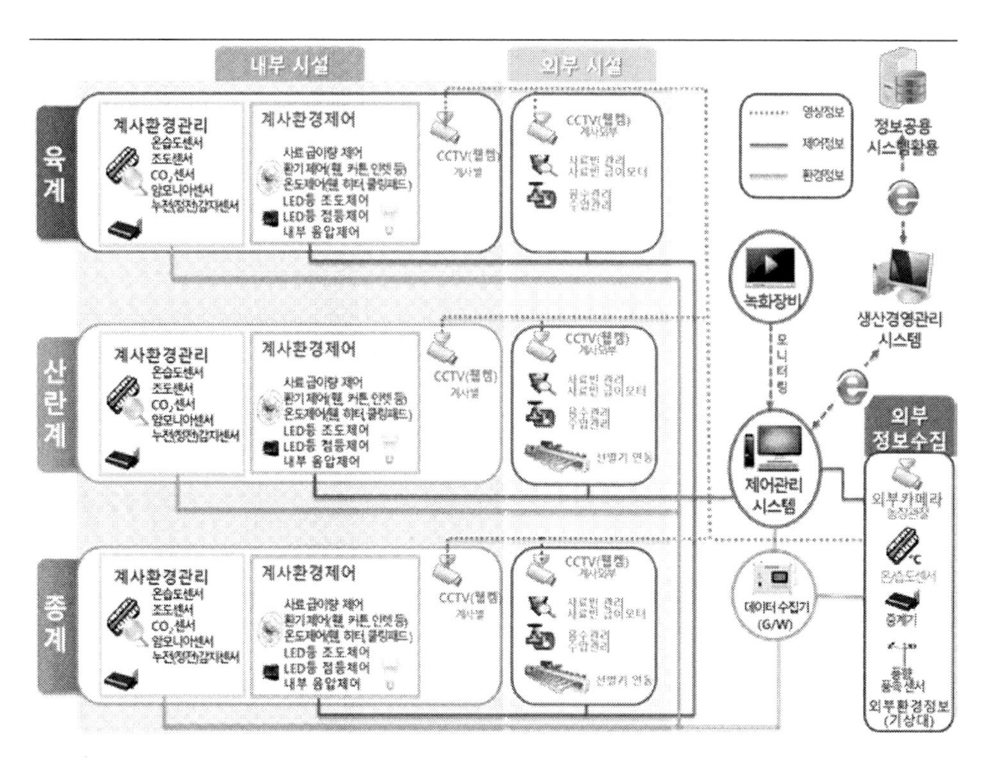

[그림 23] 스마트 웰빙 양계장 구성도

스마트 양계장은 기본적인 환경관리 부분과 제어장비 부분으로 나누어 구성되는데, 환경관리 부분으로는 온도, 습도, 풍속, 음압, 화재감지 등이 있으며 제어 장비로는 양계 형태에 따라 데이터 관리, 양계 체중관리, 선별 데이터 관리 등으로 구성된다.

스마트 양계장에서 여러 가지 센서를 통해 발생한 정보는 수집되어 다양하게 활용되는데, 수집되는 정보의 종류와 제공되는 서비스는 다음과 같다.

① 환경정보 수집

양계장에서 발생되는 온·습도 암모니아 등의 센서를 통해 쌓이는 정보를 양계 사육을 위해 사육정보로 제공한다.

② 경영정보 수집

닭개체수, 출하개체수, 경영에 관련된 정보를 수집, 제공한다.

③정보분석 서비스

환경정보 및 경영정보의 수집된 데이터를 분석하여 참여 양계장의 생산성 향상 및 경영 효율화를 위한 분석정보 제공하거나 출하시기 조절 한다.

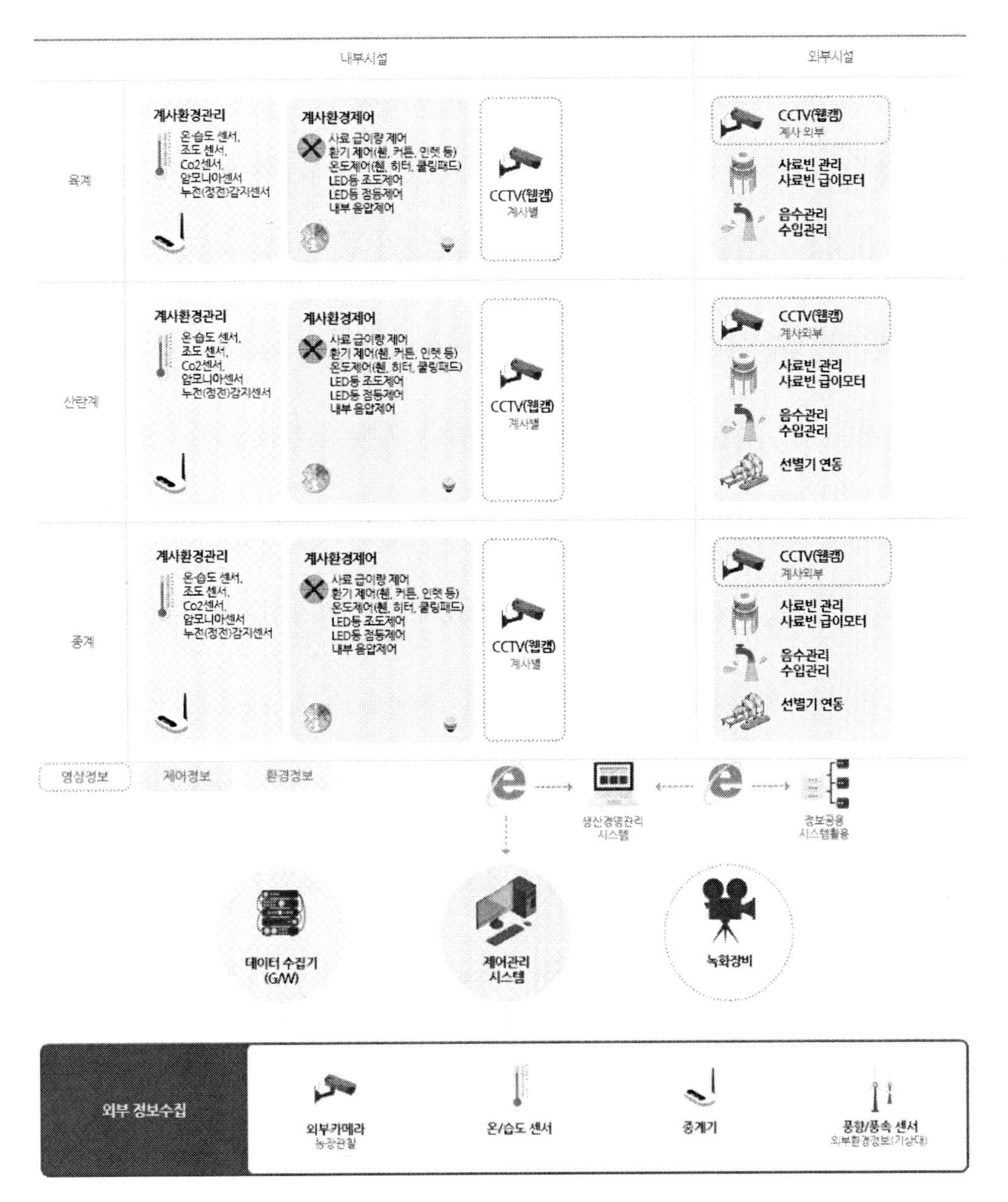

[그림 24] 양계 ICT 시스템 구성

다. 스마트 유통

1) 개념

최근 시설 원예나 스마트 축산과 같은 부문에서 정보통신기술을 접목하여 유통구조를 개선하기 위하여 많은 시도들이 이루어지고 있다. 이러한 유통 부문의 혁신 또한 스마트 농업에 확대 해석 할 수 있으므로, 스마트 유통에 대하여 살펴보도록 하자.

스마트 팜 선도 농가의 50% 정도는 선별 및 계산을 공동으로 하고 있는것으로 조사되었고, 이 중 시설원예 분야의 공동계산비중이 크고 과수 분야는 미흡한 수준으로 나타났다. 또한 스마트 팜 농가들의 대부분이 생산에 따른 납품을 하는 거래처가 고정적이며, 이는 재배한 품목에 납품에 대한 걱정과 시간을 투자하기보다 생산품의 품질 확보를 하는데 더욱 정진 할 수 있다는 점을 포함하고 있다.

스마트 유통의 구체적인 예시로는 농산물 생산 후 바코드나 QR코드와 같은 광학 인식기술을 접목하여 농산물의 생산과정과 유통과정에 꼬리표와 같은 존재로 전자상거래 등을 하는 사례를 들 수 있다.

농산물은 중량이나 부피에 비해 단가가 낮아 효율성이 검증된 시스템도 오차율이 클 수 있어 유통 중 가치가 낮아지는 경우가 있는데, 스마트 유통을 활용한다면 이를 표준화하여 체계적인 유통이 가능할 것으로 전망된다.

향후 좀 더 체계적이고 스마트한 유통시스템을 농산물이나 축산물 모든 유통부문에 도입함으로써 농산물 유통구조를 개선할 수 있을 것으로 예상된다. 현재 스마트 유통은 재고비용 절감, 노동력 절감 유통과정 간소화 등에 초점을 맞추어 이루어지고 있다. 또한, 모바일 기기 기반의 사회네트워크 서비스로 생산물의 마케팅에 접목시켜 새로운 마케팅의 혁신을 추구할 수 있는데, SNS를 이용하여 다각의 네트워크를 구축하고 발 빠르게 소통하여 유통의 간소화로 소비자-생산자 직거래, 공동구매 등의 다양한 소비형태가 가능할 것으로 전망된다.

[그림 25] 스마트 유통

2) 관련 사례

가) 국내외 농산물 유통과정 모니터링 기술

농촌진흥청에서는 특허청과 협력하여 저장 및 유통 중 실시간 환경 모니터링 프로그램을 개발하였다.

분석에 따르면 2000년대 중반 이후 USN을 이용한 농작물 관리시스템, 농업용 통합 센서 서버 시스템, 무선인식을 이용한 농산물 중량 측정 및 물류관리 장치와 같은 다양한 장치 및 통합 원격 관리 시스템들이 출원되어 무선 관리 시스템 기술이 점진적으로 발전해왔다.

2010년대 이후 현재까지 환경정보 관리 시스템, 저온 저장고의 지능형 무선관리 시스템, 무선 네트워크 시스템 자동 환기 및 환경조절 시스템과 같은 무선으로 저장고를 세밀하게 컨트롤 하는 기술이 날로 발전 했다.

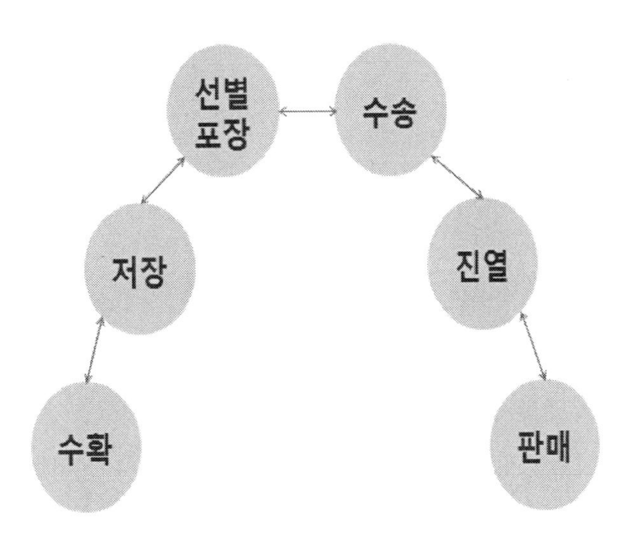

[그림 26] 유통관리 체계

나) 전자 상거래

과거와 다르게 정밀농업의 형태로 농업의 정보화가 진행되고 있다. 네덜란드의 경우 한국의 면적의 절반에 불과 하지만 ICT를 활용해 한계를 극복한 대표적인 농업 수출 국가이다.

네덜란드에는 복합 환경제어시스템 구비는 이미 완료 되었고, 전자 스크린을 도입하거나 경매장 내 컴퓨터와 입력기를 통한 클릭만으로 경매 참여가 가능하게 되어 있다. 또한 24시간 접근이 가능한 온라인 직거래 시스템을 활성화해 중간 유통 과정을 없앴다.

이외에도 현재 각국에서는 전자상거래의 중요성을 알고 투자에 박차를 가하고 있다. '알리바바'는 2014년 향후 5년간 약 2조원을 투자하여 농촌 전자 상거래 사업전략을 발표 하였고, 파나소닉은 싱가포르에서 재배된 채소를 유통하고 있다.

전자 상거래에서 전형적인 팝업이나 프리 롤 형식의 공고는 줄어드는 추세이며, 소비자들에게 거부감이 없는 광고와 맞춤형 콘텐츠의 광고가 기대되고 있기 때문에 광고주들 또한 이를 만족시키는 새로운 광고의 개척해 나가고 있는 등 전자 상거래상의 광고 방안도 다양한 각도에서 모색되고 있다.

전자 상거래 즉, 온라인 시장과 가장 밀접한 배송 관련 시장도 발전하고 있다. 2016년 이후 초고속 배송이라는 트렌드가 대두 되었고, 당일 그보다 더 빠른, 신속 배송서비스를 제공해야 경쟁 우위를 확보 할 수 있기에 이에 따라 광고주들은 즉석 대응 광고/구매에 빠르게 반응을 보일 수 있는 전략을 택해야 한다.

모바일 실시간 방송으로 소비자와 직접 소통하며 물건을 판매하는 라이브커머스는 2020년 전자상거래 시장의 최대 격전지다. 신종 코로나바이러스 감염증(코로나 19)로 온라인 쇼핑 거래액이 급증한 가운데, 라이브커머스는 2020년 3조원에서 2023년 8조원으로 급성장할 전망이다. 이커머스 업계관계자는 라이브커머스는 모바일과 영상에 익숙한 2030 세대의 쇼핑 패턴에 딱맞는 방식이라 모든 커머스 기업이 주목하는 시장이라고 말했다.

네이버 라이브커머스는 판매자가 스스로 손쉽게 콘텐트를 제작할 수 있게 IT 도구를 지원한다. 스마트폰 하나로 콘텐트를 만들 수 있어 스마트스토어 판매자들이 자발적으로 라이브커머스에 뛰어든다. 홈쇼핑 등 기존 방송과 달리 송출 수수료가 따로 없어, 판매자들의 수수료 부담도 낮은 편이다. 네이버는 라이브커머스 판매자들로부터 매출액의 3% 가량을 수수료로 받는다.

카카오의 라이브커머스는 '모바일판 홈쇼핑 채널'에 가깝다. 자체 콘텐트 제작 경험도 기술도 없는 판매자들에게 콘텐트 기획부터 연출·판매까지 일괄 제공한다. 여기에다 5000만 가입자를 보유한 카카오톡을 무대로 활용할 수 있단 점이 최대 강점이다. 카톡으로 라이브커머스 방송 시간을 예고하고, 방송 도중 실시간으로 카톡에서 소비자의 질문에 응대할 수 있단 점은 판매자들에게 매력적이다. 지난 5월 베타 서비스를 시작한 카카오는 43회 방송으로 누적 시청 880만회를 돌파했다.[18]

[그림 27] 카카오쇼핑라이브

18) 네이버 이어 카카오도 라이브커머스… IT기업 격전지 된 동영상쇼핑, 중앙일보(2020.10.02.)

다) 스마트 라벨

유통을 하면서 가장 중요하고 민감한 것이 바로 제품의 신선도일 것이다. 이를 위해 스마트 라벨이 개발되었는데, 이는 제품생산 및 가공 이후 기입되는 유통기한 날짜 보다 제품의 유통 환경 즉, 온도와 습도같은 여러 면의 환경의 변화에 따라 부패의 시기가 달라지는 점에서 착안되었다.

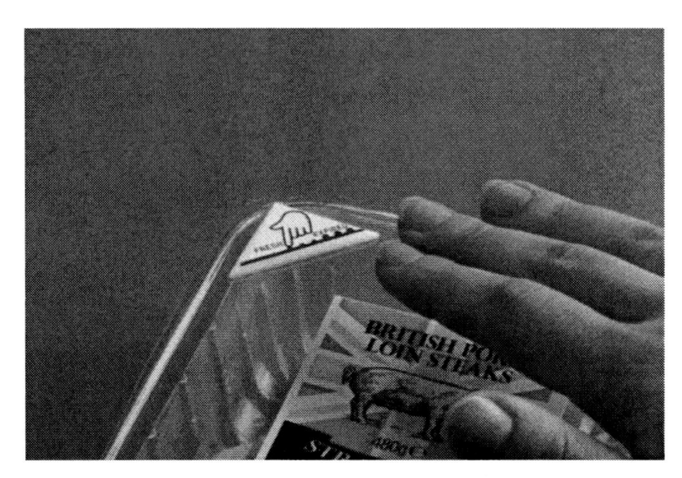

[그림 28] 스마트 라벨

스마트라벨의 종류 중 하나인 범프 마크(Bump Mark)는 포장한 식품에 붙이는 라벨로 라벨에 손만 대면 해당 식품의 신선도를 알 수 있게 개발되었다. 이를 활용하는 유럽국가들 중 영국 만해도 매년 1,500만 톤 에 달하는 식품 폐기물이 나오고 있으며 그 중 절반은 가정에서 배출 되는 양으로, 유통기한에 따르면 아직 충분히 먹을 수 있는 식품까지도 폐기가 되는 경우가 많다. 이 범프 마크는 이런 음식 폐기물에 대한 해결책이 될 수 있을 것으로 기대된다.

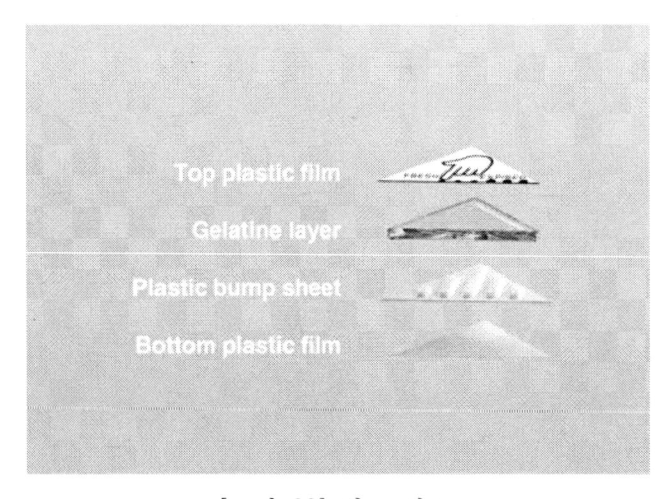

[그림 29] 범프 마크

범프 마크는 여러 층으로 이루어 져 있는데, 주요 구조는 시트 위에 고체 상태로 이루어진 젤라틴 층이 있고 그 젤라틴이 부패해서 액체 상태가 되어버리면 아래쪽에 있는 요철을 손으로 만지면 느낄 수 있게 되는 구조이다.

젤라틴은 돼지고기나 우유, 치즈와 같은 단백질이 주성분인 식품들과 같은 속도로 부패가 진행되기 때문에 식품의 유통기한과 맞게 조절 가능하다는 점에서 착안 했는데, 이를 활용한다면 유통기한으로 적혀 있는 인쇄 날짜보다 훨씬 소비자들에게 정확한 정보를 제공하는 셈이다.

라) 블록체인 기반 이력관리 시스템

최근 국내에서는 정부와 유통기업이 축산물 이력에 블록체인을 적용해 실사용을 위한 준비단계에 있다. 어쩌면 쇠고기가 국내서 가장 먼저 블록체인을 거쳐 밥상으로 올라오는 먹거리가 될 수 있다.

롯데정보통신은 자체 블록체인 플랫폼 랄프(LALP)를 오픈한다. 개발이 완료된 시스템 가운데 축산물종합관리시스템은 축산물의 매입, 유통과정에 단계별 정보를 생성해 블록체인 분산원장에 공유하는 방식이다.[19]

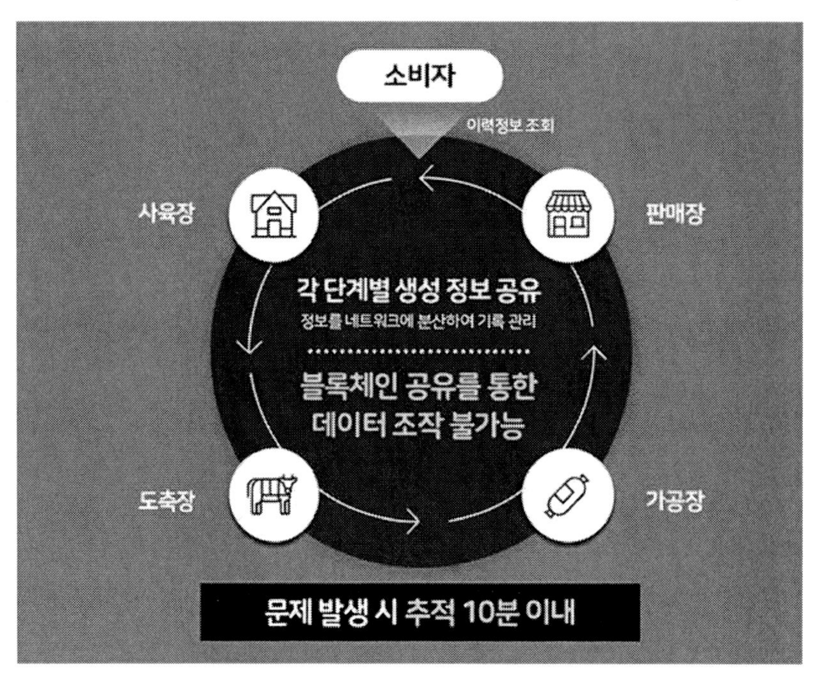

[그림 30] 블록체인 기반 축산물 이력관리 시스템

최근에는 블록체인을 이용하여 이력을 추적하는 기술들이 등장하고 있다. GS홈쇼핑이 카카오의 블록체인 계열사 그라운드X의 퍼블릭 블록체인 클레이튼을 상품 이력 추적에 활용한다. 공급망 관리 시스템 및 전자상거래 서비스 개발 기업 템코는 GS홈쇼핑과 블록체인 기반 품질 이력 관리 시스템 '블링크'를 공동 개발했다고 밝혔다. 템코에 따르면 블링크는 그라운드X가 자체 개발한 퍼블릭 블록체인 플랫폼 클레이튼 위에, 템코의 기술을 바탕으로 구축됐다.

GS홈쇼핑은 우선 블링크를 경상북도 청송 지역에서 생산되는 사과의 유통 이력 관리에 활용할 예정이다. 사과의 입고와 선별, 유통 관련 데이터가 블링크를 통해 클레이튼 블록체인에 기록된다. 농가와 생산자, 소비자는 데이터를 공유하고 위·변소 여부를 확인할 수 있다.[20]

19) [Pick] 블록체인 타고 온 쇠고기...식탁에 오르는 푸드테크, 비아이뉴스(2020)
20) GS홈쇼핑, 카카오 블록체인으로 청송 사과 품질 관리, 코인데스크 (2020)

최근 한국해양수산개발원 KMI 현안연구 보고서 '수산분야 블록체인 기술 도입에 관한 연구'에 따르면 블록체인 기술은 국내외 수산물 이력·인증 정보 시스템 도입으로 안전한 수산물 정보 관리가 가능하다. 현재 국내에서는 수산물 유통 블록체인 기술의 적용가능성을 파악하기 위해 여러 가지 시도를 하고 있다. 정부 차원에서는 해양수산부, 전라남도, 부산시 등이, 산업계에서는 삼성SDS, 삼진어묵, 청산바다, 대일수산 등이 수산물 이력추적 시범사업을 진행하고 있다.

실제로 국내 최초 블록체인기술을 수산분야에 도입해 적용한 삼진어묵은 2011년 동일본 대지진과 함께 삼진어묵의 원료 수입국에 대한 악성 루머로 소비자의 의심 및 불안감이 커지는 상황을 타개하고자 서비스를 시작했다. 스마트폰 카메라를 제품 포장지에 가져다 대면 제조일, 유통기한, 원산지 등 기본정보가 화면에 나타난다. 이뿐만이 아니다. 제품 입고부터 가공·포장·판매에 이르는 과정의 이력정보도 확인이 가능하다.

부산은 블록체인 수산물 시장으로 진입을 시도하고 있다. 부산시는 지난해 부산 블록체인 규제자유특구 혁신사업으로 '블록체인 기반 스마트 해양물류 플랫폼 서비스'를 구축하겠다고 밝혔다. 생산지의 수산물을 소비자까지 블록체인 기반 콜드체인 기술을 이용해 신선상태로 유통 및 이력관리가 가능한 플랫폼을 구축하겠다는 것이 사업 개요다. 위 사업 역시 다양한 수산물이 생산지에서 소매점까지 유통되는 과정의 모든 정보를 블록체인에 기록해 소비자가 스마트폰으로 편리하게 확인할 수 있는 서비스를 제공한다. 수산물 이력추적 관리 사업을 수행하고 있는 삼성 SDS는 2017년부터 수산물 블록체인 기술을 운영하기 시작했다.[21]

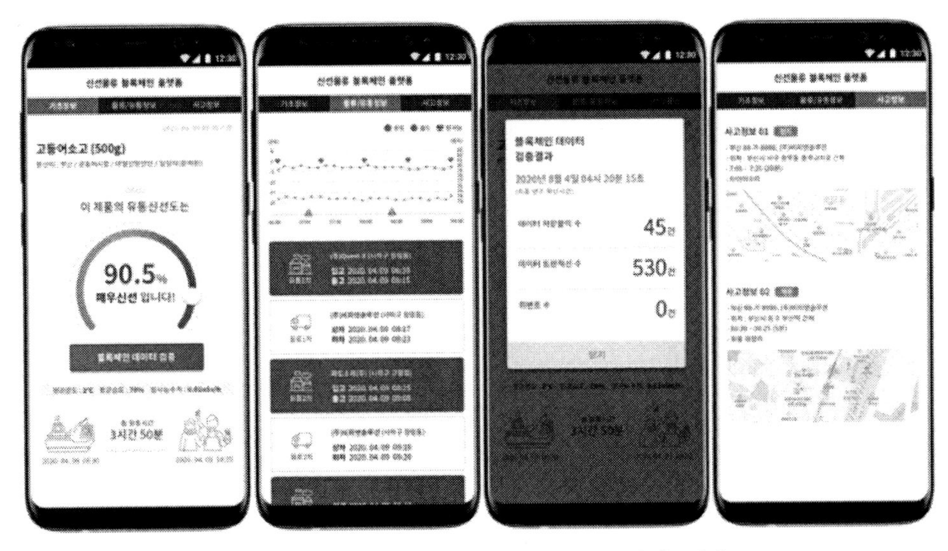

[그림 31] 부산 수산물 유통 블록체인 기술

21) 수산물 유통 블록체인이 뜬다, 현대해양(2021)

03 스마트 팜 국내외 산업동향

3. 스마트 팜 국내외 산업동향

가. 해외 산업 동향

세계 각국에서 ICT를 활용해 산업경쟁력을 높이고 부가가치를 창출하기 위해 다양한 노력을 기울이고 있는 가운데, 농업분야 중에서도 스마트팜을 중심으로 글로벌 경쟁이 치열해지고 있다.

세계 각국 관계자들은 스마트팜 시장 확장성에 대해 매우 긍정적이며, 이에 따른 관심도도 매우 높다, 시장조사 기관 자료에 따르면 글로벌 스마트팜 설비 시장은 2015년 기준 22조원에 달했고 2022년에는 43조원의 규모로 성장할 것으로 전망된다. 이는 13.3%의 성장률을 보이고 있는 셈이다.

글로벌 식량시장의 규모는 약 6500조원이며 국내의 스마트팜 관련 투자 규모는 396억 원에 달한다. 식량 시장은 자동차, 정보통신 산업보다 큰 시장으로 미국, 네덜란드, 일본, 유럽연합, 이스라엘 등의 스마트팜 기술의 개발과 보급을 적극적으로 추진하고 있는 이유이기도 하다.

1) 중국[22]

중국정부는 2004년 이후, 16년 연속 1호 문건[23]을 통해 농촌경제 활성화를 중점 과제로 부각시키며, 이를 위해 '스마트 농업' 활성화 정책을 추진하고 있다. 특히 2015년 '인터넷 플러스' 정책과 2016년 <전국농업현대화계획>(2016-2020년)을 발표하여 농업 현대화의 일환으로서 스마트 농업을 강조하였으며, 이어 리커창 총리 역시 2018년 3월 업무보고 중 '농업분야에서 공급측 개혁을 위해 인터넷 농업을 적극 추진할 것'임을 밝혔다.

중국 정부의 정책지원에 힘입어 중국은 스마트팜 관련 특허가 2015년 기준 1만 6천 건으로 미국의 4배에 육박하고, 인공지능 기업은 670개 사(세계 11.2%)에 달하는 등 규모면에서 세계 선두를 향하고 있다.

중국은 인공지능, 사물인터넷, 빅데이터, 3S[24](RS, GIS, GPS) 기술 등을 결합하여 병충해를 예측하며, 사육 및 재배, 유통에 대한 최적조건을 도출하여 모니터링하는 시스템을 도입하고 지속적으로 업그레이드하고 있는 것으로 파악되고 있다. 중국의 스마트팜의 주요 사용분야는 정밀 농업, 수직 농장, 경영지원, 클라우드 시스템, 모니터링이다.

사용분야	특징
정밀 농업	• 빅데이터 수집을 통한 토지 분석 및 관리, 토양에 맞는 작물 솔루션 제공 • GPS가 장착된 스마트 농기계, 농업용 로봇 및 드론 • 스마트 온실을 통한 온실 내 환경 제어
수직 농장	• 수십 층의 고층건물 각 층을 농경지로 삼고 재생에너지를 이용, 수경재배가 가능한 농작물을 재배하는 형식
경영 지원	• 데이터 관리 시스템을 통해 생산자의 과도한 재고 방지 및 매입 업체의 안정적인 물량확보 가능
클라우드 시스템	• 최종 소비자가 농산물 생산 프로세스를 직접 확인 가능
모니터링	• 가축들의 건강 상태 또는 농작물을 실시간으로 모니터링

[표 17] 스마트폰 사용 분야

EO Intelligence의 자료에 따르면, 스마트팜의 보급 분야는 빅데이터 플랫폼이 40%로 가장 높은 것으로 나타났으며, 드론을 활용한 농약 방제가 35%, 정밀사육시스템이 15%, 농기계 자율주행 시스템이 10%인 것으로 조사되었다.

22) 중국 농업, 이제는 '스마트팜' 시대, 오찬혁, KOTRA, 2019.03.21
23) 당해 연도 중국 핵심 국정과제이자 최대 역점사업을 의미하며, 현재 당내 농업 문제를 중시하는 고유명사로 인식
24) 원격 탐사 기술(RS), 지리 정보 시스템(GIS), 위성 항법 장치(GPS)

중국 스마트팜 산업은 알라바바, 징동, 텐센트 등 주력 대기업들을 중심으로 농업, 축산업 관련 솔루션을 개발하여 농기업 및 지방정부에 광범위하게 보급하고 있으며, 소비자의 신뢰도를 높여 매출 증가로도 이어지고 있다.

중국의 알리윈은 ET 농업브레인 프로젝트를 진행했는데, 이는 AI 기술 및 빅데이터를 기반으로 농업에 관한 데이터를 분석하고 디지털 자료를 생성하여 가축 및 작물의 전 생명주기를 실시간으로 모니터링하는 시스템이다. 본 시스템은 2018년 6월부터 보급되기 시작했으며 농장의 모든 지표를 '가시화'할 수 있다는 장점이 있다. 알리윈의 생산제품 90% 이상은 자사 온라인 유통 플랫폼인 농촌타오바오와 허마셴셩으로 판매하고, 판매 데이터는 솔루션 업그레이드에 활용하고 있다.

분야	도입기업	추진사례
양돈사업	터취 더캉	이미지 식별기술로 돼지의 섭식, 운동, 면역상태 모니터링 음성분석으로 질병, 압사 등의 위험요인 색출 연간 출산율 3%증가, 새끼돼지 사망률 3% 감소하는 것으로 나타남
과실재배	하이셩	사과나무마다 QR코드를 부착 물,비료, 농약 투입량 등 데이터를 실시간 모니터링. 연간 1무(亩)[25]당 5%, 약 200위안을 절감하여 총 2000만 위안을 절감할 것으로 예상

[표 18] 알리윈 스마트팜 추진 사례

징동은 농축산업 유통과 연계한 솔루션을 확대하고 있다.

분야	협력기업	추진사례
천리안 추적 프로젝트	거우부리 셩디러춘 등 20여개 식품 브랜드	스마트캠과 클라우드 스트리밍 기술을 활용하여 제품의 생산, 가공, 검측, 저장, 운송 등 모든 과정을 소비자에게 공개하여 제품의 안전성을 소비자에게 부각시키는 시스템
러닝닭 프로젝트	자체 판매	방목하는 닭의 다리에 만보계 밴드를 달아 100만보 이상 걸은 닭을 선별하여 시세보다 3배 비싼 100위안에 판매

[표 19] 징동 솔루션 추진사례

25) 중국식 토지 면적 단위. 1무(亩)는 한국 기준으로 약 200평에 해당. (1평 = 3.3㎡)

분야	협력기업	추진사례
블록체인	월마트	블록체인 기술을 활용하여 호주 쇠고기 생산업체인 'HW 그린햄 앤 손스'와 업무 협약을 맺고 쇠고기 유통 이력 추적 시스템을 실시. 사물인터넷 센서로부터 이력정보를 실시간으로 수집해 블록체인으로 연계하는 '디지털 유통 이력추적 관리 시스템'을 활용하여 고객이 구입한 쇠고기의 사육, 가공, 유통, 공급 등의 과정에서 발생한 모든 정보 파악 가능. 제품 오염, 손상 시 발생지점과 특정 시각을 파악하기 용이해 시간과 비용을 절감할 수 있음
징동농푸	지방정부 및 기업	무인기 농작물 보호 서비스의 일종으로, 빅데이터 분석을 통해 농경지와 드론자원을 총괄하고 정부 관련 기관에 기상, 지리 및 병충해 정보를 제공하는 어플리케이션
징동농장	지방정부 및 기업	안후이성 통청시 인민정부를 시작으로 진탕현 인민정부, 셴양시 농기계센터, 광시 전원, 베이다황 그룹 등 20여개 기업 및 지방 정부와 스마트팜 조성 협약을 체결

[표 20] 징동 솔루션 추진사례

후위윈신시의 스마트 과일농장은 인공지능으로 병충해와 잡초를 식별하고 물, 비료, 농약을 자동 주입하는 시스템으로 2017년 12월부터 2018년 7월까지 포도동장에 도입한 결과, 포도 1급품이 전체 60%를 차지하여 사람이 관리하는 일반 농가 수준에 도달했다.

이 밖에도 사물 인터넷과 빅데이터를 활용한 스마트 온실 제어 및 분석 시스템을 도입해 현재 28개 성, 72개 도시, 1000여 개의 스마트팜이 이 시스템을 활용 중이다. 재배 면적만 100만 무(亩)를 초과했으며, 중국 최대 과일 유통 그룹인 바이궈위엔으로부터 시리즈 A 투자를 유치하기도 했다.

2017년 중국 정부는 2030년까지 AI 산업의 세계 리더가 되겠다는 전략을 세웠으며, 최근까지 국영기업을 통해 약 300억 달러 규모의 펀드를 조성하는 등 적극적인 지원정책 하에 스타트업에 대한 투자가 활발히 진행되고 있다. 아울러, 베이징은 AI 산업단지에 약 20억 달러를 투입했으며, 톈진은 약 160억 달러를 투입할 예정으로 지방 정부의 투자도 가시화되고 있다. 이런 흐름 속에서 스마트팜 관련 스타트업에 대한 투자도 늘어나는 추세이다.

응용분야	회사명	유치시기	투자단계	금액	투자기관
농기계 자율주행 시스템	보창리엔동	2018.04	시리즈 B+	약 1억 위안	Walden International, 바이두, The Hina Group
정밀사육시스템	펑둔커지	2018.03	프리 시리즈 A	비공개	난징기린산업투자
	왕이웨이양	2017.04	시리즈 A	1억 6000만 위안	메이퇀디엔핑 징동
무인기 (드론)	마이페이커지	2018.03	프리 시리즈 A	2500만 위안	Elevation China Capital, 바이두, FreesFund
	농티엔관쨔	2018.01	프리 시리즈 B	1000만 달러	YI Capital, Shunwei Capital, GGV Capital
	가오커신농	2018.01	시리즈 A+	2000만 위안	콰커 캐피탈, Topsailing Capital
빅데이터 플랫폼	아오커메이	2017.11	전략 투자	비공개	Qualcomm Ventures
	짜거티엔띠	2017.04	시리즈 A	600만 위안	DCM, Matrix Partners China
	농보챵신	2017.08	프리 시리즈 A	수백만 위안	Cloud Angel Fund

[표 21] 중국 스마트팜 기업 투자 현황

가) 중국 스마트팜 리스크 포인트[26)]

(1) 정보화 인프라 미비 & 높은 비용

국가통계국에 따르면 2019년 농촌 주민 1인당 가처분소득은 16,021위안으로 2018년 대비 9.6% 증가했지만 여전히 스마트팜 발전에 필요한 높은 단가를 충족시키지 못하고 있다.

스마트팜 발전 비용은 크게 스마트팜 농업 설비 기계화와 지역의 정보화 인프라 건설로 나뉘는데, 빈곤 지역 농민들의 경우 기계화 설비의 높은 비용을 감당하기 어렵고, 농민 거주 지역의 인터넷 보급률 또한 현저히 낮아 전통 농업에서 스마트팜으로의 전환이 제한되고 있다. 뿐만 아니라 농업용수 및 전력공급 등 스마트팜의 필수 불가결한 인프라 부족 또한 문제이다.

(2) 수치 분산

중국 스마트 농업 관련 기업의 90% 이상이 자체 데이터 수집에 나서고 있고, 경쟁 관계에 놓여있기 때문에 관련 데이터를 공유할 가능성이 낮다. 또한 중국은 국토가 넓고 데이터의 출처가 광범위해 비교적 분산되어 있으며 국가 차원에서 손을 써도 통일된 데이터의 수집이 용이하지 않다.

(3) 토지 분산

중국의 영세 소농가 수는 약 2.6억명으로 이들이 보유한 토지 면적은 기본적으로 약 100평 이내이며, 토지 집중화 정도가 낮다. 이로 인해 농업의 규모화 및 표준화 생산이 어렵고 동시에 노동력 이전이 원활하지 않아 농업의 스마트화에 걸림돌이 되고 있다.

26) [PEIN Macro] 중국 스마트팜, 데일리차이나, 2021.06.01

2) 네덜란드

시설농업이 발달된 네덜란드는 강력한 정부의 지원과 기업, 개인의 활발한 참여에 의해 글로벌 스마트팜 시장을 선도하고 있다. 네덜란드는 내수시장이 작아 일찍부터 수출이 활발하게 진행되었는데, 농가의 인수합병을 통해 몸집을 불리고 기술·자재·재배·가공·수송 등이 한곳에 이뤄지는 농업 클러스터를 구성하며 규모의 경제를 달성하고 있다.

누적된 농업 데이터와 재배환경에 최적화된 노하우를 스마트팜 센서와 제어솔루션의 개발에 활용해 생산성의 향상과 품질의 최적화를 이루기 위해 노력하고 있다. 미국에 이어 농산품 수출국 2위로 네덜란드의 원예작물은 세계 교역량의 24%를 점유 하고 있으며, 농산품이 차지하는 비중은 15%에 달한다.

관련 기업으로는 스마트팜 온실 솔루션 기업인 프리바가 있다. 프리바는 온실 환경제어 시스템을 개발해 세계 각국으로 수출하고 있다. 온실 환경 제어 기술을 기반으로 빌딩의 내부 환경과 에너지 소비량을 관리할 수 있는 시스템을 개발하여 현재 네덜란드의 공공건물의 약 30%에 적용하고 있다. 또 다른 기업인 하티막스는 양액 공급과 원예시설을 같이 제어하고 축적된 날씨 정보를 이용해 온도편차를 최소화하는 등의 재배 기술면에서 강점을 가지고 있다.

[그림 32] Priva사의 온실 환경 제어 시스템

[그림 33] Hortimax사의 복합환경제어기

네덜란드의 화훼농업 대표기업으로 화훼 재배 온실을 운영하는 '플리그트 프로페셔널'은 농촌 노동인구가 적고 인건비가 높은 상황에서 생산비용을 줄이고 수익을 높이기 위해 스마트팜을 도입했고, 그 결과 2016년 약 60억 원의 매출을 올렸다. 이렇듯 네덜란드는 원예나 화훼 농작을 위한 최적의 기후 여건을 갖추지 못하고 있음에도 유리 온실 등을 오래 전부터 이용해 농산품 수출 강국이 됐다.

가) 스마트농업 추진전략 및 프로젝트[27)]

(1) 푸드밸리(Food Valley) 2030 전략

세계적인 농식품 산업 클러스터인 푸드밸리는 지속가능한 네 가지 전략 하에 지속가능한 스마트농업 에코시스템(Eco-system)을 구축하고 있다.

4대 스마트농업 추진전략
• 단백질원 다양화(식물 기반 생산) • 순환 농업(자원 및 쓰레기 최소화) • 건강하고 안전한 식품 생산 • 디지털 기술을 통한 생산 효율화

[표 22] 4대 스마트농업 추진전략

이러한 4대 추진전략 하에 푸드밸리는 EU 및 네덜란드 정부-농식품 다국적기업 및 중소기업-와게닝헌 대학 등 연구기관-NGO 등을 유기적으로 연결하며 농식품 에코시스템 혁신을 주도하고 있다.

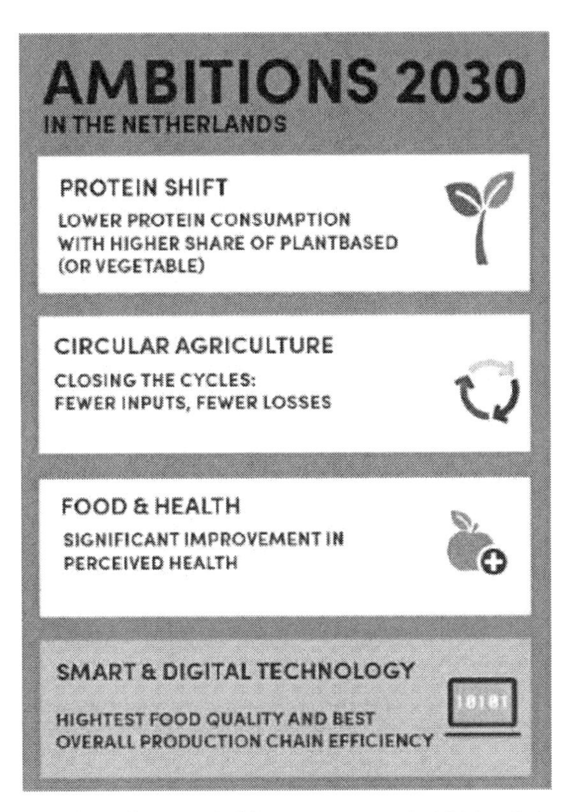

[그림 34] 푸드밸리(Food Valley) 2030 전략

27) Covid-19 속 네덜란드 스마트팜 및 식량안보 동향, KOTRA, 2020.12.31

(2) 네덜란드 국책 정밀농업(Precision Agriculture) 프로젝트

국책 정밀농업 사업(National Project Presienlandbouw, NPPL)은 2018년~2021년 간 추진 중인 4개년 계획사업으로 6개 농가 지원으로 시작하여 2019년 10개, 2020년 6개 농가가 참여했다.

NPPL 목표는 농업 부문 지속가능성을 발전시키는데 있다. 참여 농가는 비록 선두주자는 아니지만 사업에 관심이 많고 투자 의향도 높아 다른 농가들이 벤치마킹 하고 있으며, 기업인, 와게닝헌대학(WUR) 전문가로부터 도움을 받으며 건축물에 적용되는 기술을 농가에도 적용하기로 합의했다.

농림부는 낮은 비용 대비 높은 수확량을 목표로 농가 이익 증대, 농업과 원예의 환경 영향 감소, 제품에 대한 잔류물 감소로 인한 식품 안정성 강화, 풍부한 성질이라는 4가지 목표를 달성코자 하며 주요 사업은 과일 재배용 정밀 주사기, 센서 및 모니터링 시스템, 개방작물(Open crops)에서의 로봇 적용, 현장별 잡초 방제 등이 있다.

(3) NPPL 4단계 프로젝트

① 1단계(정밀농업 1.0)
주로 위치 설정 기술과 응용분야에 초점을 두며, 현재 표준관행이 되었다.

② 2단계(정밀농업 2.0)
영상변동(토양 스캔, 가변투약 기법) 및 가변 투자약 기법 사용 등 토지 및 작물내 변화에 대응한다.

③ 3단계(정밀농업 3.0)
스마트기계와 연결기계(Connected machine) 혹은 복합 모델 기계의 센서와 정밀도, 로보틱스를 활용한다.

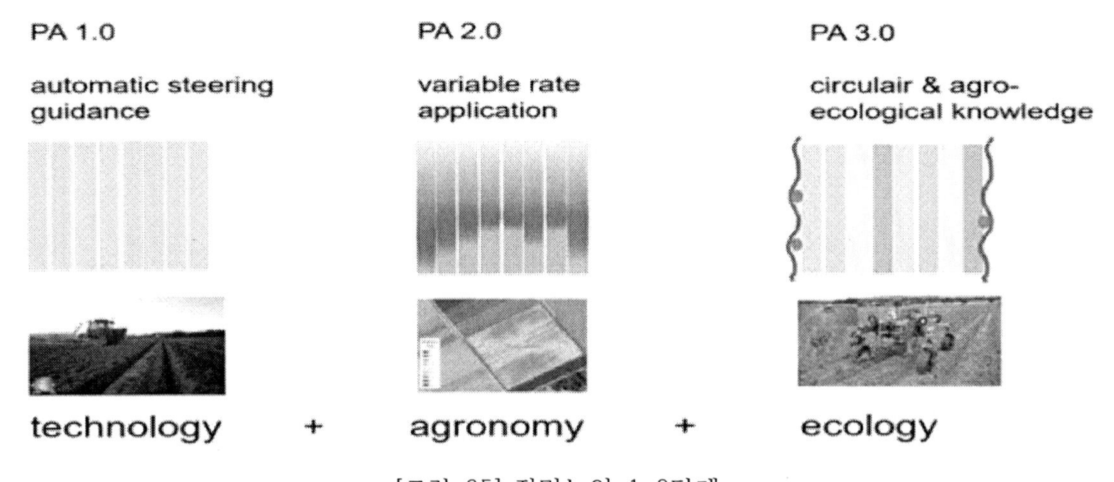

[그림 35] 정밀농업 1~3단계

④ 4단계(정밀농업 4.0)

2019~2022년까지 진행되는 데이터기반 농업 프로젝트로 스마트 산업과 데이터 경영을 전략적으로 연결한다.

(4) 식량 안보를 위한 스마트농업 국책 프로젝트

① 종자 감자 수확량 예측

종자 감자의 정밀기술개발 사업은 현재 초기단계에 있으며, 2019년 가을 수확기 첫 조사가 실시되어 2021년 연구 종료가 예정되어 있다. 와게닝헌대학을 포함한 여러 이해관계자들이 비전 기술(Vision technology)을 이용, 종자 감자 예상 수확량을 측정하고 있다.

② 최적 품질을 위한 스마트센서 및 프로세스 제어

와게닝헌 식품 및 바이오 연구실은 제품 품질에 대한 상세하고 객관적인 정보 제공이 가능한 스마트센서 시스템을 개발하고 있다. 이 시스템을 통해 농업 관련 기업은 밸류체인 내 공정을 최적화하고 제품 품질의 극대화를 기대할 수 있다.

③ 로보틱스를 이용한 최적 사육

와게닝헌대학 및 연구실은 비파괴적이며 빠르고 응용력이 뛰어난 감지기술과 동식물 표현 기술에 특화되어 있다. 이에, 기계 제작사, 사육 기업과 공동으로 작업하여 생산 모든 단계에서 다양한 데이터를 수집할 수 있는 객관적 방법을 개발하고 있다.

3) 미국

미국은 농산물 생산량과 교역량 측면에서 세계 1위의 명실상부한 농업국 중 하나이다. 미국은 2000년부터 시설농업에 GPS를 사용한 무인주행 농작업, 조간 농자재 변량 살포 기술 등을 도입했으며, 2014년에는 국립기상서비스와 농무부 주도하에 오픈 데이터 정책을 추진해 각종 스마트농업 서비스를 개발했다.

최근에는 스마트팜에 사물인터넷, 나노, 로봇 기술 등의 본격적인 활용을 시도함으로써 '농업의 실시간 관리'와 '관리의 효율성 향상'에 중점을 두고 있다. 미국은 농림식품 기계·시스템 발전 수준과 융복합 기술 수준 2가지 측면에서 모두 뛰어난 기술력을 보유하고 있는데, 최근 인공위성에서 받은 위치정보를 이용해 무인 트랙터로 농장을 원격 관리하는 기술을 도입했다.

미국은 또한 유휴 토지 활용을 위해 공유하거나 농경작의 경험적 지식 등을 공유하는 형태로 스마트 농업 비즈니스 모델을 구축하고 있으며, 농경작에서의 누적된 경험적 지식을 필요로 하는 사람들과 농업지식을 공유하는 공유경제 모델도 등장했다. 이는 인터넷 접속이 어려운 오지의 농민들이 작물 재배, 병충해 등의 질문을 휴대폰 문자메시지로 보내면 농업 전문가 혹은 다른 농부가 해결방안을 제시하는 방식이다.

첨단 농업 시장을 활성화하는 대표적 기업으로 2013년 '몬산토'라는 기업이 1조원에 인수한 클라이밋 코퍼레이션을 들 수 있다. 클라이밋 코퍼레이션은 30년간 미주 1500억 곳의 토양 데이터, 60년간 수확량 데이터를 토대로 미국 면적 64만 7000㎢에 세분화한 맞춤형 농업 서비스를 제공하고 있다.

[그림 36] 클라이밋 코퍼레이션

미국 실리콘밸리 스타트업도 클라우드 기반의 농업·농장관리 소프트웨어 개발과 농업 서비스 회사에 투자하고 있다. 미국 샐러드 채소의 80%를 생산하는 '살리나스 밸리'는 농장에 ICT 접목을 통해 스마트팜을 실현하고 있으며, 드론을 개발해 농사에 활용하고 있다. 또한 농약 살포량을 자동으로 조절하는 스마트 스프레이 시스템과 자동으로 수분을 관리하는 마이크로 워터센스 등도 운영하고 있다. 이 밖에 농업용 로봇의 선두기업인 블루리버 테크놀로지(BlueRiver Technology), 정밀농업을 전문으로 하는 에그솔버(AgSolver), 농장의 물 관리 모바일 플랫폼을 제공하는 하이드로바이오(HydroBio) 등이 있다.

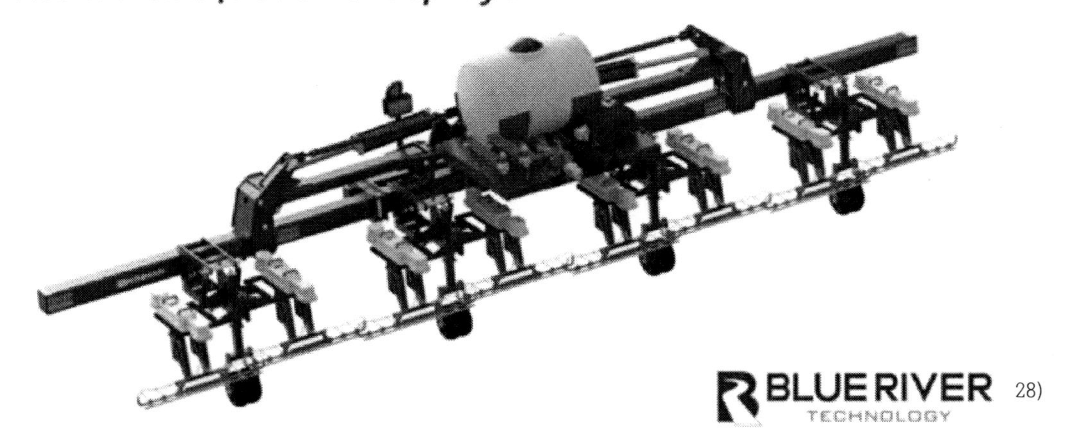

[그림 37] 블루리버의 '상추로봇'

미국의 에어로팜(AeroFarms)은 2004년 출시 이후 1억 3천만 달러 이상의 투자를 유치하며 '농업계의 애플'이라 불리는 가장 유명한 수직 농업 회사이다. 에어로팜은 물을 많이 필요로 하는 기존 수경재배 방식에서 발전한 에러로포닉이라는 새로운 기술을 사용한다. 에어로팜은 특수제작된 천 위에서 작물을 키우며, 물과 양분은 천 사이로 내려온 뿌리에 분사방식으로 공급한다. 이러한 분무식 재배 시스템을 통해 기존 수경재배 방식보다 약 40%의 물 사용량을 줄일 수 있었다. 에어로팜은 실내 수직 농업 회사들이 주로 영위하는 잎채소를 넘어 최근 블루베리, 크랜베리 등의 베리류 수직 농업 기술 개발에 착수했다.

[그림 38] 에어로팜

28) 출저: 블루리버 유튜브

구글벤처스의 투자를 받은 바워리 파밍(Bowery Farming)은 뉴욕에 본사를 두고 무농약, 비유전자변형 종자를 사용해 수직농장을 운영한다. 전통적 농업보다 95% 적은 물을 사용하고 같은 양의 토지에서 100배 더 생산성이 높다. 바워리 파밍은 현재 800여 개의 식료품점과 주요 전자 상거래 플랫폼에 제품을 제공하고 있으며, 2021년 3월에 275개의 세이프웨이(Safeway) 및 애크미(Acme) 슈퍼마켓으로 판매망을 확장할 계획이다.

한편 대규모 수직 농업 외에 가정용 수경 재배 시스템 역시 시장 확산 중이다. 스마트 수직농장 전문기업 인팜(InFarm)은 식료품점에 미니 농장을 배치하는 사업을 전개했으며, 아마존 알렉사 펀드(Amazon Alexa Fund)는 책장 크기의 가정용 수경 재배 시스템 콘솔을 제작하는 수직 농업 회사인 라이즈 가든(Rise Gardens)에 260만 달러를 투자했다고 밝혔다.[29)]

29) [스마트팜] 수직농업 중심으로 성장 중인 미국 스마트팜 시장, 식품외식경영, 2021.06.03

4) 일본

일본은 국토의 약 13.3%만이 농업에 적당해, 세계 최대의 농산물 수입국가 중의 하나이다. 일본 국내 전통 농업 종사자수는 지난 2016년 158만 6,000명으로 역대 최저치를 기록했으며, 평균 연령은 68.8세로 고령화가 지속되고 있다. 이러한 일본 농업 업계의 전반적 규모 감소추세 문제를 해결하기 위해 신기술을 활용한 농업의 자동화와 수익증대를 위한 비용절감 부가가치 창출 등이 요구되고 있다.

일본 정부는 어려움에 처해있는 일본 농업업계의 문제를 해결하고 향후 성장산업으로 발전시키기 위해 ICT, IoT, 로봇기술을 이용한 '스마트 농업'을 추진 중이다. 구체적으로 2011년 i-japan 전략을 수립, ICT와 농업을 융합한 신산업 육성 전략을 추진 중에 있다. 최근에 스마트 아그리라는 영농정보관리 시스템 등을 개발해 농업의 시계화와 자동화를 실현했다.

또한 기업의 농업 진출도 계속해서 진행되고 있는데 그동안 기업의 농업 진출은 농작물을 안정적으로 조달하고자 하는 식품업체나 공공사업의 감소에 따른 건설업체들이 경영 다각화의 방책으로 이뤄진 경우가 많았다. 그러나 최근에는 소매업, 제조업, IT, 금융, 운수업 등 다양한 업계가 ICT, 로봇 기술을 농업에 응용하는 형태로 발전하고 있다.

제품을 살펴보면 인터넷을 통해 PC와 스마트폰으로 재배시설을 연계해 장비 조작 및 데이터 수집, 관리가 가능한 농업용 클라우드가 식물 공장을 중심으로 빠르게 보급되고 있다.

후지쯔의 농업관리 클라우드 서비스는 재배시설에서 기온, 지온, 수분, 일사량, 토양의 비료농도 등을 측정하여 데이터 분석을 통해 최적의 환경을 제시해준다. 본 시스템을 통해 농가는 수확량이 20~30% 증가 하였고, 농가별 생산계획과 수확량 예상 등을 관리하여 농산물 조달계획수립을 위한 데이터로 활용 되고 있다.

이외에도 자동차 관련 업체 등 타 업종 기업이나 벤처 기업 등도 농업 클라우드 비즈니스 분야에 적극적으로 뛰어 들고 있다. 도요타 자동차가 자동차 생산 관리 방법이나 공정 개선 노하우를 농업 분야에 응용, 농사의 효율화 및 작업 비용의 가시화, 개선점 파악을 목적으로 개발한 농업 IT를 '풍작 계획'이 그 예다.

일본 스마트농업의 주요 기술은 아래와 같다.

기술명		정의
재배지원 솔루션	농업 클라우드	농업에 관련된 데이터 수집해 인터넷상에서 관리해 생산성을 향상시키는 시스템
	복합환경 제어장치	대기 온도, 하우스 내 온도, 습도, 일사량, CO2 농도 등을 측정해 각각 최적의 상태로 조정하기 위해 냉방장치 및 보온커튼, 환기 및 차광을 자동 제어하는 것
	축산용 생산지원 솔루션	축산업의 생산비용 절감을 위해 정보통신기술(ICT)를 활용한 계획적 가축번식으로 경영 효율화를 실현하는 솔루션
판매지원 솔루션		① 생산자 및 JA(Japan Agricultural Cooperatives)와 식품 관련 사업자를 연결해 농작물을 조달하는 식품 관련 사업자의 4정(定)[정량(定量), 정시기(定時期), 정품질(定品質), 정가격(定価格)]을 실현하는 솔루션 ② 생산자와 JA의 직원을 연결, ICT를 이용해 관리업무를 경감하는 솔루션
경영지원 솔루션		① 회계소프트나 및 농업생산법인의 회계업무를 ICT로 지원하는 솔루션 ② 기상데이터나 과거의 기상정보를 토대로 수확시기 및 수확량을 예측해, 병해충 등의 피해를 사전에 파악할 수 있는 솔루션
정밀농업	GPS 가이던스 시스템	GPS기능에 의해 트랙터의 위치를 측정해 주행경로를 표시하는 장치
	자동조타 장치	GPS가이던스시스템에 의해 표시된 주행경로에 따라 트랙터를 자동으로 조종하는 장치(무인주행은 아님)
	차량형 로봇 시스템	GPS수신기, 로봇컨트롤러, 센서 등을 트랙터, 이앙기, 콤바인 등의 농기구에 설치해 여러 대의 농기구에 의한 협조작업 및 농기구의 완전무인운전을 실현하는 시스템
농업용 로봇		설비형 로봇(접목 로봇 등), 머니퓰레이터형 로봇(수확 로봇 등), 작업 어시스트형 로봇(파워어시스트슈트 등)

[표 23] 일본의 스마트농업 주요 기술

기업명	서비스명	상세내용
Fujitsu	Akisai	농지 재배, 시설 원예, 축산 분야의 경영, 생산, 판매까지 기업적 농업경영을 지원. 자사 'Akisai농장'에서 실제 검증을 거치며 개발 중. 광범위한 사업 영역을 커버, 제공서비스 내용도 업계 중 가장 앞서 있음.
TOYOTA	풍작계획	자사의 자동차 제조관리 노하우를 농업에 응용. 농사계획을 자동 작성, 진척 상황을 관리하는 시스템.
KUBOTA	KSAS (Kubota Smart Agricultural System)	주로 벼농사 농가를 대상. 센서를 탑재한 자사 콤바인과 연동해 수확시기에 쌀 맛의 기준이 되는 단백질과 수분의 함유량을 자동 측정

[표 24] 일본의 농업용 클라우드 서비스를 제공하는 주요 기업

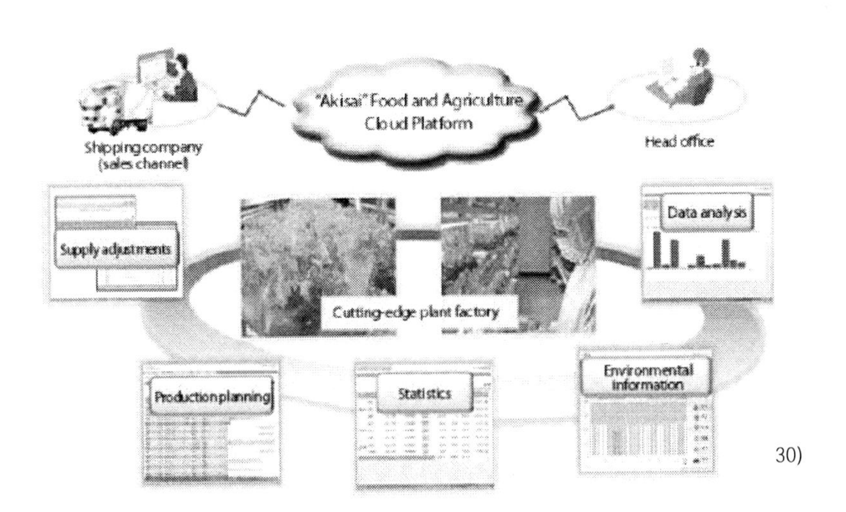

30)

[그림 39] Akisai 시스템 개념도

일본 후지쯔사 스마트 축산은 인터넷 접속만 가능하다면 어디서든 정보를 검색할 수 있으며, 클라우드로 데이터를 축적, 관리하기 때문에 손실될 위험이 없다. 또한 소프트웨어 설치 및 업데이트가 필요하지 않고 소프트웨어 사용료를 정기적으로 납부할 경우 초기비용을 절감할 수 있다.

일본의 후지쯔사는 또한 암소에 센서와 통신기능이 장착된 만보기를 착용시킨 후 움직임과 걸음걸이 패턴 의 데이터를 수집 분석하여 소 임신 가능성을 농장주에게 개별 문자로 통보해주는 시스템을 가지고 있다. 98년 일본 농가에 보급되기 시작하였으며, 2012년 이후로 국내 한우농가에게도 보급되기 시작하였다.

30) 자료: 한국정보화진흥원, ICT 융합 해외선진사례(2014.02)

[그림 40] 후지쯔사 우보시스템

이 정보는 발정개시시간, 수정적기, 질병여부를 판단하는데 사용할 수 있으며 분만 확률이 높은 수정 적기도 알아 낼 수 있다. 이를 통해 분만 시기, 임신 감정, 건강상태 등의 정보까지 파악하여 관리가 가능하며 이에 따라 경영관리의 효율성과, 노동력의 절감에 의해 농가의 수익을 증대시킬 수 있다.

도쿄 시내 한복판에서 PLANTX사는 '상자형 식물공장'을 운영하고 있다. 이 식물공장에서는 태양광과 흙을 사용하지 않고 상자 내 환경 데이터를 약 200개의 지표로 관리하며 완벽한 습도, 온도, 조도 등을 관리하고 있으며, 이산화탄소 농도, 비료의 농도부터 광합성 속도, 증산속도 등을 측정하여 일부 주요한 지표는 모니터화하여 실시간으로 확인할 수 있도록 하고 있다.

이러한 식물공장에서 가장 중요한 것은 외부 요인이 차단된 밀폐된 공간이다. 100% 제어 가능한 요인만으로 재배를 할 경우, 병충해에 강한 채소 재배만 고집할 필요가 없다. 노지나 하우스에서는 예기치 못한 자연재해 등으로 인해 병이 잘 들지 않는 품종의 채소를 골라 재배하였다. 그러나 PLANTX사는 상자형 식물 공장에서는 지금까지 맛 보지 못한 채소, 건강 성분이 다량 함유되어 있으나 재배하기 까다로웠던 채소도 기를 수 있게 될 것이라고 말한다.

[그림 41] PLANTX의 식물공장에서 재배 중인 채소

일본의 대형 전자기업 FUJITSU사는 더 이상 사용하지 않는 반도체 공장을 활용해 식물 공장 사업에 진출했다. 반도체를 생산했던 클린룸에서 파종, 육묘, 아주심기(정식), 수확, 포장 · 포장, 출하 작업까지 전 작업을 수행한다. 현재 프릴 레터스, 그린 리프 등이 주요 재배 품목이나 향후에는 시금치, 허브 등 재배 품목 확대를 계획하고 있다.

또한 온도, 습도, CO2, 조명 등을 ICT로 완벽하게 관리 할 수 있는 공간이기 때문에 고품질의 레터스를 안정적으로 연중 수확 할 수 있다. 다양한 센서를 이용한 감지 기술로 재배 환경을 통합 관리 하고 있으며, 반도체를 제조하고 있던 당시의 노하우(클린기술, 생산관리 방법 등)를 활용해 철저한 위생 관리를 실시한다.

[표 25] FUJITSU의 식물공장 내부 전경

대형 금융 회사 계열사 ORIX가 폐교된 초등학교를 활용하여 식물 공장 사업을 시작했다. 당초 프릴 레터스, 프리츠 레터스, 상추 등 3 종의 채소를 재배하였으니 현재는 종류를 늘려 일반 음식점과 그룹사 내 부동산회사가 운영하는 상업 시설 등에 직접 판매하고 있다. 온도 · 빛 등 완벽한 재배환경 관리가 가능하기 때문에 동일한 품질의 재배가 가능한 것이 특징이다.[31]

[표 26] ORIX사가 식물 공장에서 재배한 프릴 레터스, 프리츠 레터스, 상추

31) 거대 유망 일본 스마트팜시장, 우리 기업의 블루오션될까, KOTRA, 2021.06.14

5) 대만

대만은 무선센서네트워크(Wireless Sensor Network, WSN)기반의 실시간 데이터를 수집하는 센서노드의 효율적인 수집을 위해 자동 백업 메커니즘을 개발하여 게이트웨어 일부가 고장나더라도 데이터의 패킷에러가 발생하지 않는 시스템을 개발하였다.

또한, 이외에도 무선네트워크 기반의 난초 환경 모니터링 시스템, 멀티채널 무선센서 네트워크 기술 및 농업 클라우드 기반 온실모니터링시스템 등이 개발되어 농업생산의 효율성 향상에 기여하고 있다.

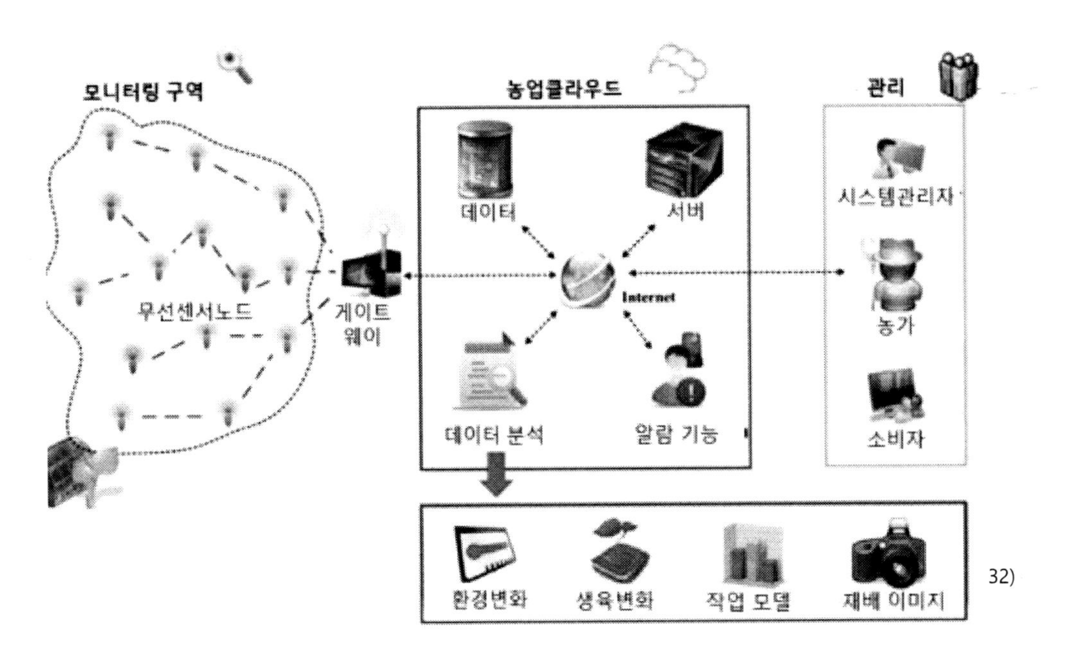

32)

[그림 46] 무선센서노드를 통한 온실 모니터링

32) 농촌진흥청 참조, 농업 ICT선진 사례, 2014

6) 스페인

스페인의 경우는 네덜란드와는 다르게 플라스틱 온실의 선두주자라 볼 수 있다. 스페인은 전 세계적으로 턴키 프로젝트 진행 하고 있으며, 스페인의 온실 회사들은 전 세계의 기후조건에 적합한 온실 모델을 보유하고 있고, 부품들의 모듈화가 잘 이루어져 시공 기간이 매우 짧다는 것이 특징이다. 또한 골조율이 적어 광투과율이 좋으며, 환기효율이 뛰어나다는 장점을 가지고 있다. 온실을 턴키방식으로 공급하게 되는 경우 플라스틱 온실에 적합한 환경조절장치 및 제어시스템과 양액·관수시스템이 함께 공급되어 스페인 온실의 장점을 극대화시킬 수 있다.

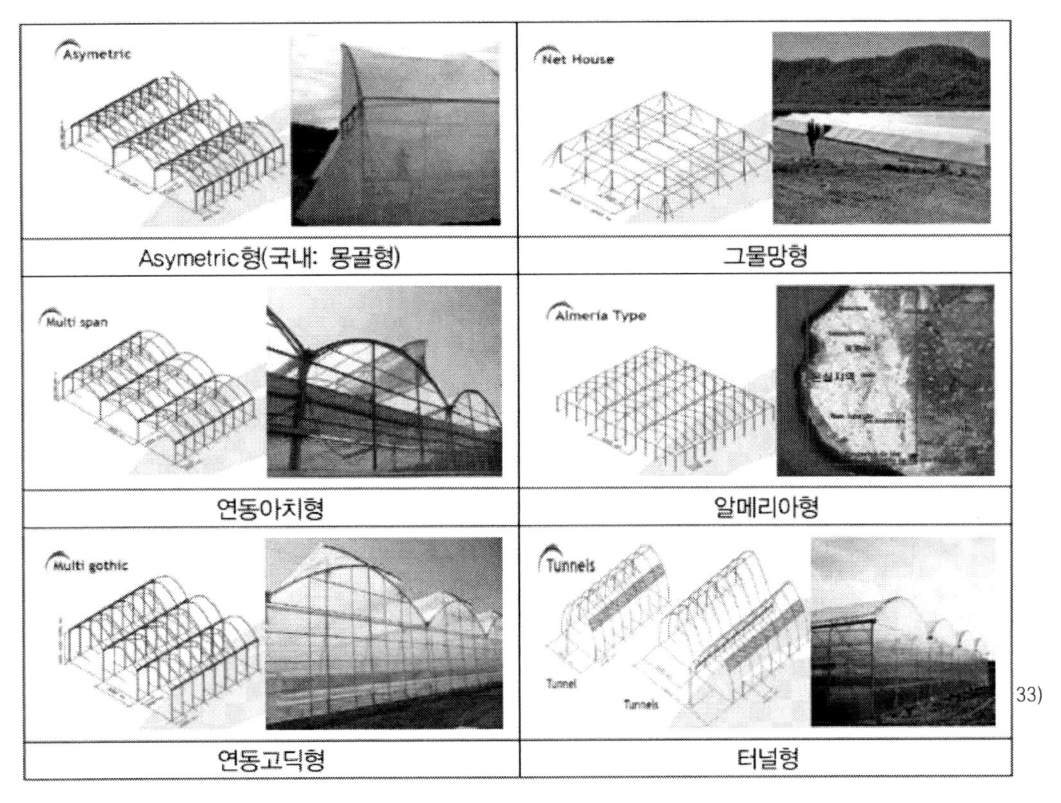

33)

[그림 47] 스페인 플라스틱온실 유형

34)

[그림 48] 스페인 양액시스템 및 복합 환경제어시스템 예

33) 농식품 ICT 융복합 선진시스템 조사 및 국내 응용모델연구(농림축산식품부 2014)
34) 자료: 농식품 ICT 융복합 선진시스템 조사 및 국내 응용모델 연구(농림축산식품부 2014)

7) 이탈리아

[그림 49] 이탈리아 사과 농가

이탈리아의 사과 재배 면적은 약 2만ha에 달한다. 이탈리아에는 약 5천여 농가가 밀집되어 있는 남티롤이라는 지역이 존재 하는데, 이곳은 지리적 위치가 국내의 비해 좋거나 하지 않고, 토양 및 기후 환경이 우리보다 더 열악하다. 또한, 알프스 산맥에 위치하여 서리·우박 등의 자연재해도 빈번하게 발생한다. 하지만, 이곳에서 생산되는 사과 생산량은 국내의 생산량에 비해 약 2.5배 정도 높으며 비용 측면에선 국내의 반값 정도에 불과 하다.

이렇게 차이가 나는 이유는 정확한 기상자료와 농가 재배과정내의 기계화가 잘되어 노동력에 해당하는 비용이 절감되기 때문이라고 할 수 있다. 이를 뒷받침 하는 근거로, 남티놀에는 중앙 정부와 지자체가 운용하는 기상 관측 장치 131개소가 설치돼있어 각 농가가 정확한 기상 정보를 실시간으로 제공받고 있다.

또한 이탈리아에서는 사물인터넷 기반의 양돈개체관리 시스템인 PigWise가 사용되고 있다. PigWise는 고주파 전파식별 인식기와 카메라를 이용한 개채 성장과 복지 및 모니터링 수행에 사용되는 도구로서 양돈축사 내 동물 행동탐지에서 스마트 사료 섭취 모니터링, 조기알람 시스템으로 이어지는 시스템으로 구성되어 있다.

PigWise는 돼지들의 발성음을 통하여 건강생태와 질병, 감염, 복지 등에 대하여 모니터링 하여 걸릴 수 있는 호흡기 질환에 대해 조기 경부 할 수 있을 뿐만 아니라 경제적 손실 방지를 위한 모니터링과 의사결정 지원으로 초기단게에 문제점을 탐지할 수 있으며, 잠재적 건강문제와 여러 알람 기능을 가지고 있어 긴급 상황 문제를 해결 할 수 있도록 돕는다.

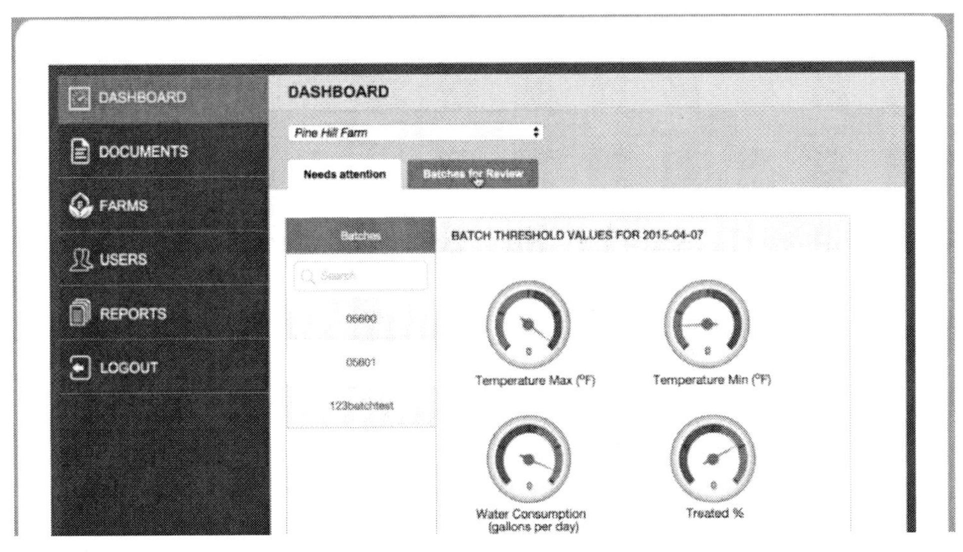

[그림 50] Pigwise 시스템

그 외에 CCTV를 이용한 영상정보들과 영상분석기술을 통합하여 실시간으로 돼지의 상태와 체중변화를 측정하여 감지하고 분석하도록 되어 있는데, 이 장치에는 분석 장치 약 8대의 카메라로 구성 되었으며, 행동에 대한 정보를 수집하고 기록의 영상들을 분석하는 시스템으로 되어 있다.

또한 비육돈의 경우에는 출하체중을 자동으로 분석하여 출하시점을 결정할 수 있다. 특히 무게를 측정함에 있어서, 돼지들이 스트레스를 받지 않고 무게를 측정 할 수 있다는 점은 큰 장점으로 손꼽힌다.

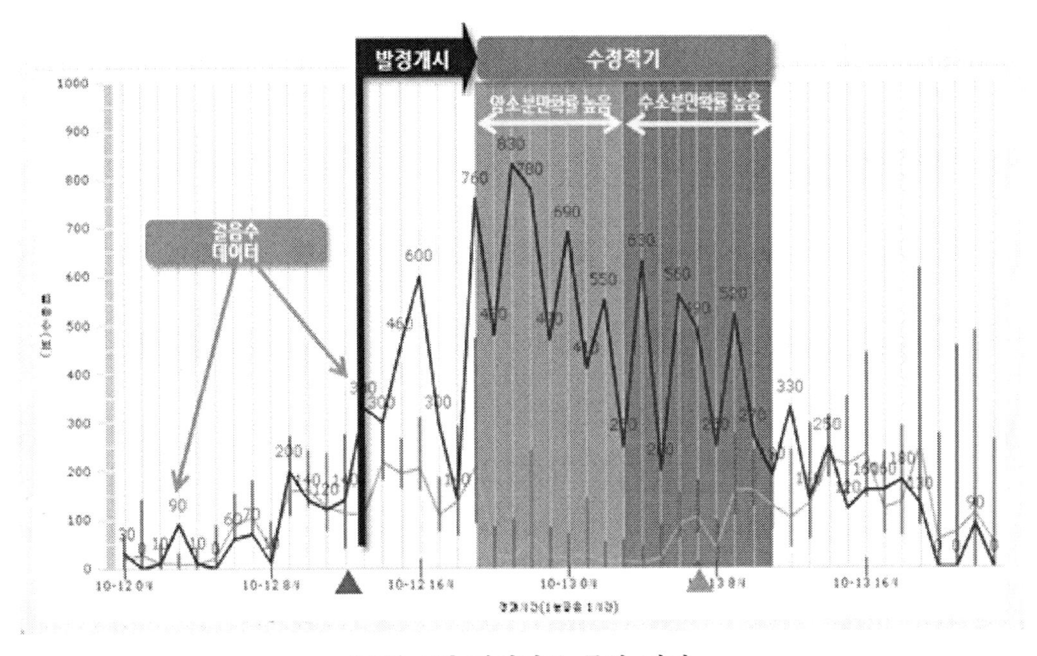

[그림 51] 데이터를 통한 판단

8) 러시아[35]

러시아 연방 농림부는 2018년 말 '농업 디지털화' 사업을 2019-2024년 추진하겠다고 발표했다. 해당 프로젝트는 식품안정성, 디지털 경제, 2024년 국가 전략 과제 등이 배경이 되고 있다. 한편 러시아 경제의 디지털 전환(디지털 트랜스포메이션)의 일환이기도 하다. 구체적인 목표로, 2024년까지 농업의 디지털화로 인해 근로자 1인당 생산량이 2배 증가하고 비즈니스 관리 비용이 1.5% 절감된다는 점이다. 해당 프로젝트는 국가 디지털 플랫폼을 지역 및 하위 플랫폼과 통합하여 농업 경영, 농업 생산자 지원, 모든 지역 디지털 농업 계획 수립에 도입을 목표로 하고 있다. 농업 자원(토지, 작업 가축 및 생산 가축 등), 원자재 및 완제품의 효율적인 데이터베이스를 생성시켜 지속적인 경영방식으로 도약한다는 목표도 포함하고 있다. 프로젝트 예산은 총 3000억 루블(약 49억 달러)로, 연방 예산이 1520억, 지방 예산이 80억, 기타 출원이 1400억 루블로 자금 조달할 계획이다.

	2019	2020	2021	2022	2023	2024	총계
연방 예산	16,100	26,000	29,000	35,000	23,000	22,900	152,000
지역 예산	350	500	1,000	2,150	2,000	2,000	8,000
기타 출처	5,000	7,000	15,000	22,000	35,000	56,000	140,000
총합	21,450	33,500	45,000	59,150	60,000	80,900	300,000

[표 27] 러시아 농업 디지털화 프로젝트 예산 출처 (단위: 백만 루블)

지출 조항	2019	2020	2021	2022	2023	2024	총계
국가 디지털 농지관리 플랫폼 (개발 및 도입)	10,150	20,209	23,746	28,121	17,059	18,796	118,082
국가 플랫폼 Agrosolutions 모듈 (개발 및 도입)	3,275	2,962	3,775	5,500	4,562	2,725	22,800
농업 종사자 및 전문가 디지털 교육 시스템	1,925	1,828	478	378	378	378	5,368
프로젝트 오피스 운영	750	1,000	1,000	1,000	1,000	1,000	5,750

[표 28] 러시아 농업 디지털화 프로젝트 연도별 연방예산 지출 (단위: 백만 루블)

러시아 농림부는 스마트 농업의 시범 운영을 위해 농공단지 통합 데이터 베이스를 2020년까지 구축했다. 해당 정보시스템 구축은 2018년부터 시작됐고 러시아 농업 지적도 디지털화의

35) 러시아 스마트팜의 시장 잠재력, KOTRA, 2021.04.13

표준 데이터로 활용 예정이다. 2018년 기준 러시아 지적 데이터(평방미터, 토질, 경작지, 경작물, 번식지, 생산자 등)는 전체 농지의 절반 가량만 수집된 상황이었고 목표상 2024년까지 80%, 2030년까지 100% 지적 데이터를 구축하는 것이다. 한편, 농업단지의 국가 지원은 서비스 간소화를 포함해 2024년까지 보조금, 대출의 75%가 '국가서비스'포털을 통한 온라인 거래로 이루어질 전망이다. 해당 서비스는 10만 평방미터 이상의 농업 종사자와 지역 및 시 소유의 농지 종사자들이 이용할 수 있다.

러시아 농업 디지털 전환의 특징은 국가적 차원, 지역적 차원, 기업적 차원으로 나눠서 살펴볼 수 있다.

특징	특징 상세
국가적 차원	농림부 디지털 플랫폼, 빅 데이터 기반 예측 분석, 광범위 등록 기술, 인공 브레인
지역적 차원	'스마트' 계획 및 계약
기업적 차원	농업용 통합 디지털 솔루션 대규모 도입 (IoT: "스마트 팜", "스마트 팜 랜드", "스마트 동물 허브", "스마트 온실", "스마트 처리", "스마트 농업 사무소")

[표 29] 러시아 농업 디지털 전환의 특징

지역	프로그램명	기간 및 범위
코미 공화국	공화당 농업 개발 계획, 농산물, 식자재 및 식품시장 규제, 어업개발	2013 - 2020년
크라스나달 지역	Selex-Diary Cattle	2011 이후
스몰렌스크 지역	Exact Farming	2016 이후
사마라 지역	GIS "InGEO" Software	2009 이후
캄차카 지역	농지 연방정보 시스템 (FGIS "EFIS ZSN3CH")	2017 이후
칼리닌그라드 지역	AGRAR-오피스 소프트웨어	9년
	Agro-Plan 소프트웨어	7년
	AlPro 소프트웨어	7년
	DelPro 소프트웨어	-
	Selex 소프트웨어 (소)	9년
	1C bovine cattle (농업기업에 따라)	10년
이바노보 지역	공화당 농업 개발 계획, 농산물, 식자재 및 식품시장 규제	2014 - 2020년
바시키르 공화국	GLONASS 위성 내비게이션 시스템	6년
	2020년까지 토양, 농경지 및 경관 생산능력 보호 및 복구	2005-2020년

[표 30] 지역별 '스마트 농업' 프로그램

러시아 '스마트 농업' 시장은 농업 유형과 기술 및 서비스 제공으로 나누어 볼 수 있다. 한편, 정밀 토지농업, 스마트 온실, 가축 모니터링, 기타(어업 양식 및 원예) 등 농업 유형에 따라 시장이 세분화 되는데 제공 형태에 따라 하드웨어, 소프트웨어, 서비스로 분류할 수 있다.

러시아 스마트팜 시장에 진출한 기업이나 동향은 일반 첨단기술 산업과 명확히 구분되어 있지 않아 상세한 동향 파악은 힘든 상황이다. 다만 외국기업의 러시아 현지 활동으로 추청해보면, 러시아 스마트팜 부문은 외국 기술에 전적으로 의존하고 있다. 대표적인 스마트팜 진출기업으로는, John Deere (미국), Trimble, Inc. (미국), Raven Industries (미국), AGCO Corporation (미국), Ag Leader (미국), Autonomous Solutions (미국), CropX 미국), Monsanto (미국), CNH Industrial (네덜란드), CLAAS (독일), Leica Geosystems (스위스), Farmers Edge (캐나다)라고 할 수 있다.

외국기업의 러시아 스마트팜 제품을 유통은 일반 수입제품 유통과정과 큰 차이가 없다. 다만 현지 유통기업들도 제품을 수입하고 유통할 때 딜러망을 반드시 거친다는 점이 특이점이라 할 수 있다. 이는 정부 기관 조달 또는 프로젝트 추진 기업의 대량 조달이 '최종 소비자'로 볼 수 있기 때문이다.

9) 우즈베키스탄[36]

우즈베키스탄 농업이 안고 있는 문제로는 ① 안정적인 용수 공급이 가능한 토지가 제한돼 있다는 점, ② 부가가치가 낮은 목화와 곡식작물의 비중이 여전히 크다는 점, ③ 경작지 면적과 경작 인구가 지속적으로 감소하고 있다는 점 등을 들 수 있다. 이러한 상황에서 농업 생산성을 증대시키고 농가의 소득을 보전하기 위해 스마트팜 기술의 도입이 시급한 상황이다.

우즈베키스탄 토지공사(State Cadastral Agency)의 통계에 따르면, 국가의 전체 경작면적은 2,030만 헥타르로, 전체 국토면적의 약 43%를 차지한다. 그러나 이 중 420만 헥타르만이 안정적인 관개시설을 갖추고 있다. 품목별 비중에서는 임업과 어업을 제외한 농업생산 249조 7000만 숨 중 49.5%인 123조6000억 숨을 곡식작물(면화 포함)이 차지하고 있다.

경작면적도 감소 추세이다. 최근 15년간 5% 정도 경작지 면적이 줄어들었는데, 이와 관련해 아시아개발은행의 추정에 따르면, 추세가 계속될 경우 향후 30년간 10% 정도의 경작지가 추가로 감소할 것으로 예상한다. 또한 농촌, 기타 산간지방에 거주하는 인구는 약 1650만 명으로 전체인구의 49.5% 수준이며, 노동인구의 27%가 농업에 종사하는 것으로 나타나는데 경작인구 역시 감소 추세이다. 정부는 주요 원인으로는 도시화로 인한 개발과 도시로의 인구이동을 지적하고 있다.

우즈베키스탄 정부도 문제점들을 인식하고 있으며, 여러 국제기구들과 함께 이에 대비하고 있다. 정부의 농업개혁 목표는 ① 농업과 목축업에 있어서의 생산성 제고, ② 병충해와 전염병의 예방과 보호, ③ 농업 관련 신기술의 소개와 보급이다. 블라디미르 라크마닌 UN 식량농업기구 유럽·중앙아시아 지역 부대표는 자체적으로 마련한 지원 프로그램에 따라 2021년부터 우즈베키스탄에 농업 관련 신기술들이 본격적으로 소개될 것이며, 이를 통해 우즈베키스탄의 경제 회복에도 기여할 것이라고 언급한 바 있다.

우즈베키스탄 정부의 계획에 따르면, 2021년에는 총 16만 헥타르의 경작지를 대상으로 스마트팜 기술을 적용할 예정이다. 이를 통해 농업용수 사용량은 줄이면서 생산량은 목화의 경우 전년대비 8~10%, 과실과 채소는 15~20% 증가시키는 것을 목표로 하고 있다. 각 농가의 소득은 헥타르 당 연간 2000~5000달러 증가할 것으로 예상하고 있다. 또한 2028년까지 국가펀드를 포함 총 3300억 숨의 자금을 지원할 계획이며, ADB 등 다자개발은행들도 총 1억1000만 달러의 자금을 할당할 예정이다. 이를 위해 정부는 2021년부터 스마트팜 기술도입(임대 포함)을 위한 목적의 대출에는 이자의 50%까지 지원한다.

타슈켄트 국립 농업대학(Tashkent State Agrarian University)의 디지털라이제이션 학부의 사이다스로르 굴리야모프(Saidasror Gulyamov) 학과장은 "현재 우즈베키스탄 농업에서 디지털 기술의 도입은 대부분 테스트 중이거나 아직 시스템화 되지 않은 초기 단계"라고 언급했다. 실제로 우즈베키스탄에는 아직 스마트팜 기술을 도입해 운영하는 곳은 없고, 일부 지역에 시범 농장을 마련해 기술을 적용하는 것으로 알려지고 있다.

---

36) 우즈베키스탄의 스마트팜 트렌드, KOTRA, 2021.04.06

나. 국내 산업 동향

1) 한국형 스마트팜 모델 개발[37]

국내 농업은 고령화와 높은 노동강도로 인해 청년인구의 유입이 어려운 구조로 타 분야보다 생산인구 절벽화가 더욱 가시화되고 있는 것이 사실이다. 이에 대한 대안으로 제시되고 있는 스마트 팜은 사물인터넷, 빅데이터, 인공지능, 로봇 등을 활용하여 농산물의 생육환경을 최적 상태로 관리하고 노동력 절감과 생산성 향상을 구현하는 효율적인 노동형태이다.

이렇듯 국내 농업 문제의 해결책으로 대두되고 있는 스마트팜 기술개발을 위해 차세대 한국형 스마트팜 기술개발 프로젝트가 진행되고 있으며 여기에는 4기관 19개 전담부서가 협업하여 핵심 요소 및 원천 기반기술의 확보를 위해 연구 역량을 집중하고 있다.

[그림 52] 차세대 한국형 스마트팜 융복합 프로젝트

본 프로젝트에서는 국내 농업여건에 적합하게 기술수준별로 스마트팜 모델을 3가지 단계로 구분하여 개발을 추진하고 있다. 먼저 1세대 모델은 편리성을 증진시키는 것을 큰 목표로 하고 있으며 2세대는 생산성 향상을, 3세대는 글로벌 산업화를 목표로 한다.

또한, 본 프로젝트는 기술의 단계적 개발 뿐만 아니라 실용화 계획을 통해 노동력과 농자재의 사용을 줄이고, 생산성과 품질을 제고함으써 농가소득과 연계하며, 나아가 영농현장의 애로와 연관 산업의 문제를 동시에 해결해 가는 계획을 세우고 있다.

---

37) 차세대 한국형 스마트팜 개발, 이현동, 국립농업과학원

가) 1세대 스마트팜 - 원격 모니터링과 제어로 편의성 향상[38)]

1세대 스마트팜은 원격 관리를 이용한 농업인 편리성 증대를 목적으로 현재까지 개발한 자동화 및 ICT 기술들을 영농여건과 농가수준에 맞추어 기본형과 선택형으로 구분해 모델을 제시함으로써 농가의 필요에 따라 조건에 맞는 모델을 적용할 수 있도록 했다.

모델유형	주요기능
기본형	환기/보온/영상감시
선택(1)형	관수
선택(2)형	난방
선택(3)형	안전

[표 31] 1세대 스마트팜 모델

2016년 개발이 완료된 1세대 스마트팜 모델은 모급 확산을 위해 현장실증 연구와 신기술시범사업을 접목하여 추진되었다. 그 일환으로 시설원예 6품종, 버섯 1, 축산 2에 대하여 22개소(총 9.1ha)에서 현장실증연구가 진행되었으며, 2017년 35과제 174개소에서 신기술보급사업이 수행되었다.

38) 농업에 부는 4차산업혁명...인공지능(AI)이 농사짓는 시대 '현실로', 정양기, newskr, 2018.11.14

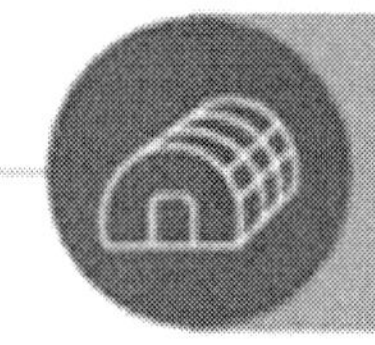

1세대 모델 ('16)

원격 감시 + 원격 제어

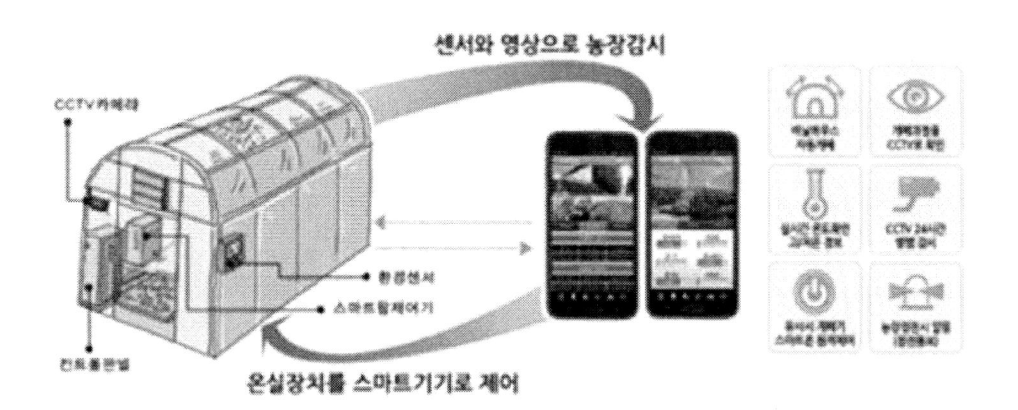

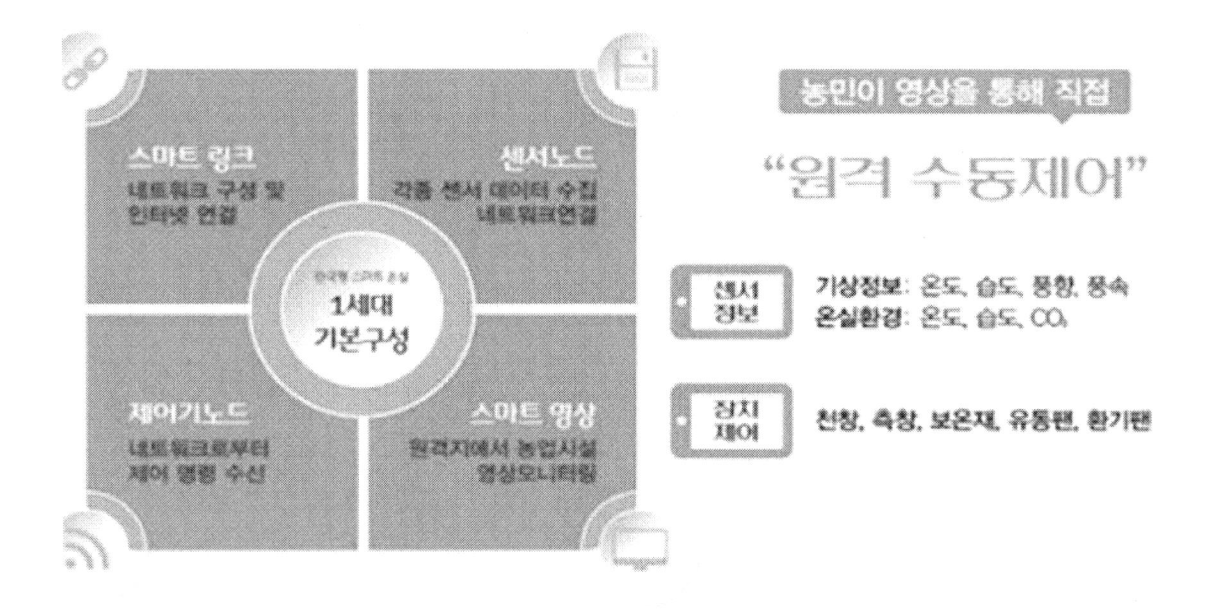

"스마트 기술로 농작업 편리성 향상"

온실 환경관리에 매여 있었던 **시간과 장소의 구속에서 해방**

[그림 53] 1세대 스마트팜

나) 2세대 스마트팜 - 지능형 정밀생육관리로 생산성 향상

2세대 스마트팜은 농업선진국과 대등한 수준의 생산성을 확보하기 위해 식물의 생육 또는 동물의 생장 상태를 계측하고 측정자료를 빅데이터로 관리, 인공지능이 동식물 생장모델을 이용하여 환경관리에 대한 의사결정을 하는 기술 개발을 목표로 하는 모델이다.

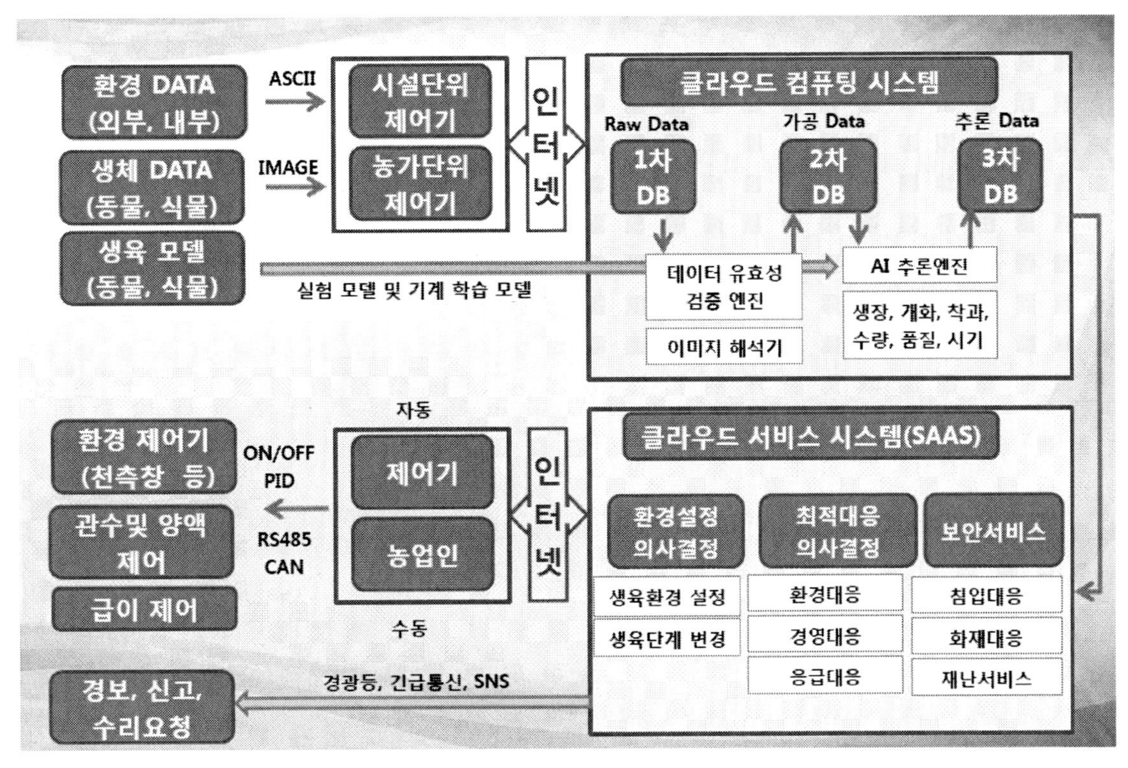

[그림 54] 한국형 스마트팜 2세대 모델 설계(안)

관행 농업은 숙련된 재배자 또는 사육사의 경험과 지식에 의존하여 생산관리에 대한 의사결정을 하는 방식이었다면 2세대 스마트팜은 재배 또는 사양관리 전문지식과 선도농가의 경험을 학습한 인공지능의 도움을 받아 현재 시기의 농장 환경에 최적화된 의사결정을 할 수 있게 된다.

따라서 재배 또는 사육하고 있는 작물과 가축에 대한 정밀한 생육관리가 가능해지고 품질과 생산량을 크게 향상할 수 있다. 한국형 스마트팜 2세대 모델은 2018년까지 토마토재배와 돼지사육에 대한 스마트팜 모델 개발을 목표로 연구 개발이 진행되어 2018년 말 개발이 완료되었다.

기존 1세대 스마트팜을 이용하던 농가도 클라우드시스템과 연계시킬 수 있는 게이트웨이를 설치하면 바로 2세대 기술을 이용할 수 있다.

2세대 모델 ('18)

지상부 복합환경제어 + 클라우드서비스

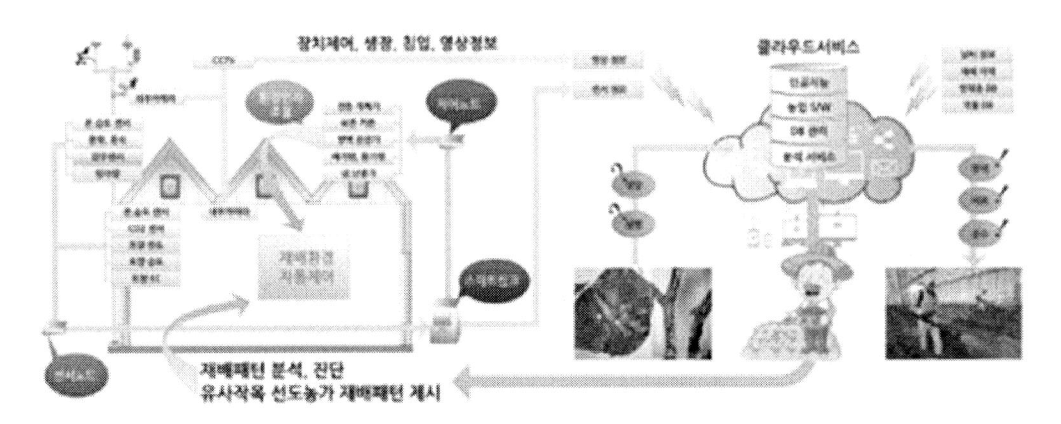

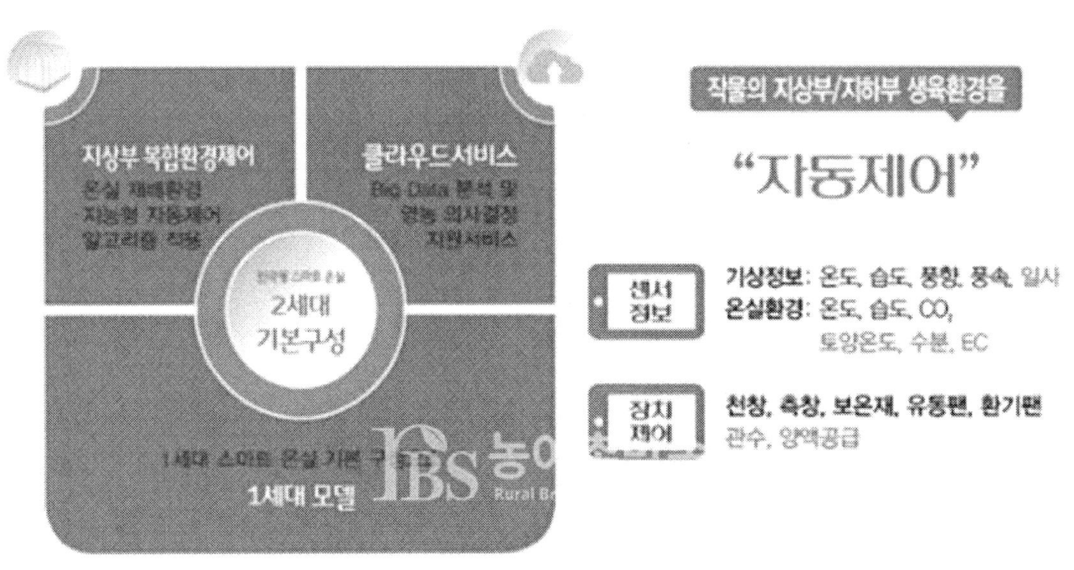

[그림 55] 2세대 스마트팜

다) 3세대 스마트팜 - 에너지 최적화 및 로봇 자동화

한국형 스마트팜을 기술적으로 완성하는 3세대 스마트팜 모델은 1세대 편의성 향상과 2세대 생산성 향상 기술의 토대 위에 온실 및 축사에너지 시스템의 최적화와 다양한 로봇을 활용한 무인화.자동화시스템을 구현해 스마트팜 전 과정의 통합제어 및 생산 관리를 가능하게 하는 수준에 이를 것으로 전망된다.

[그림 56] 세대별 한국형 스마트팜 기술 구성

3세대 모델은 국내 스마트팜 농가의 규모화와 생력화를 통한 생산비 절감으로 경쟁력을 향상할 뿐만 아니라 지능형 생육관리모델을 탑재한 비닐하우스 중심의 저비용 고성능 한국형 스마트팜으로, 향후 수출을 통해 우리나라가 농업 선진국 및 농업 수출국으로서 세계시장에서 지위를 확보하는데 핵심 역할을 할 것으로 기대된다.

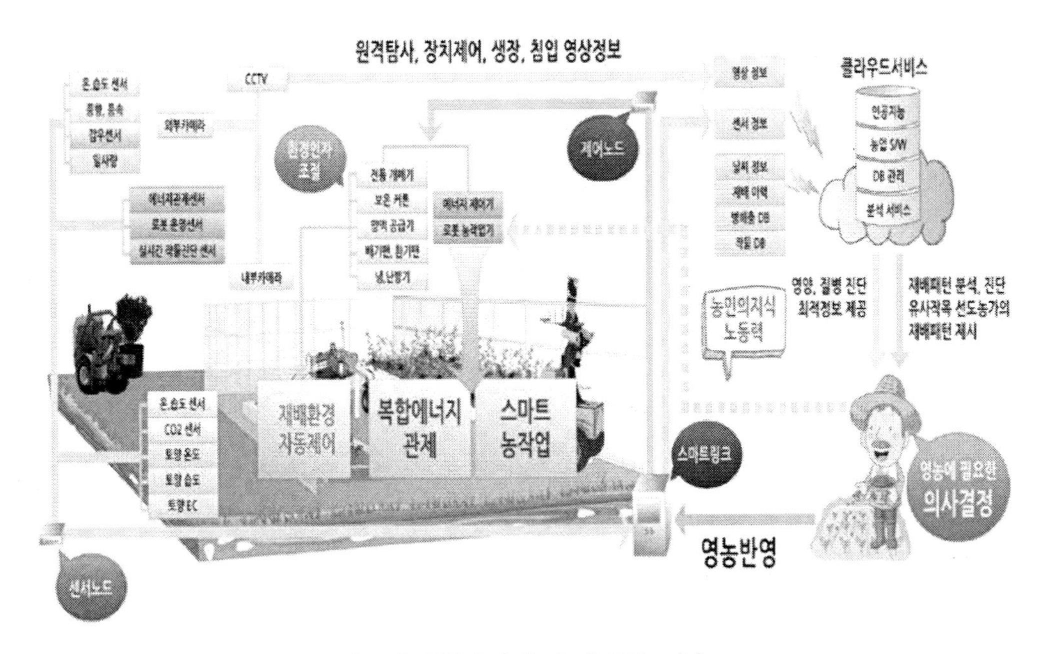

[그림 57] 3세대 스마트팜 기술

3세대 모델 ('20)

복합에너지관리 + 스마트 농작업

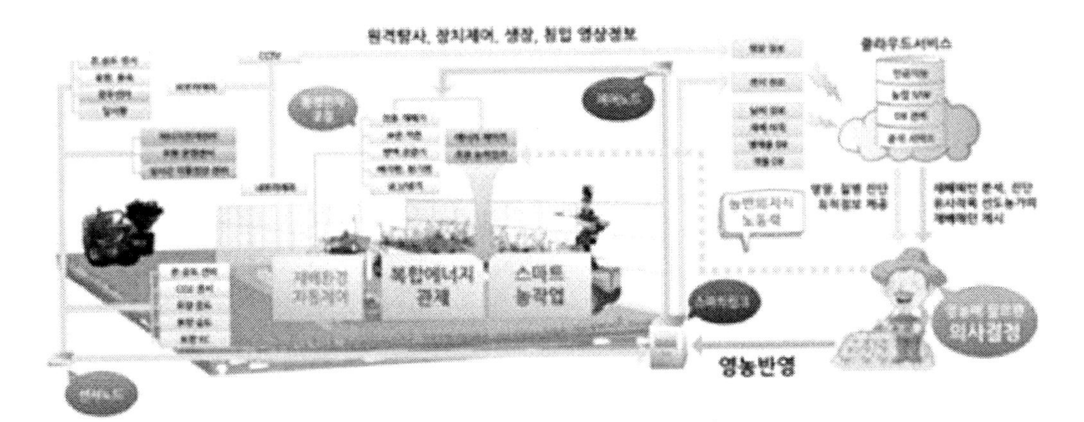

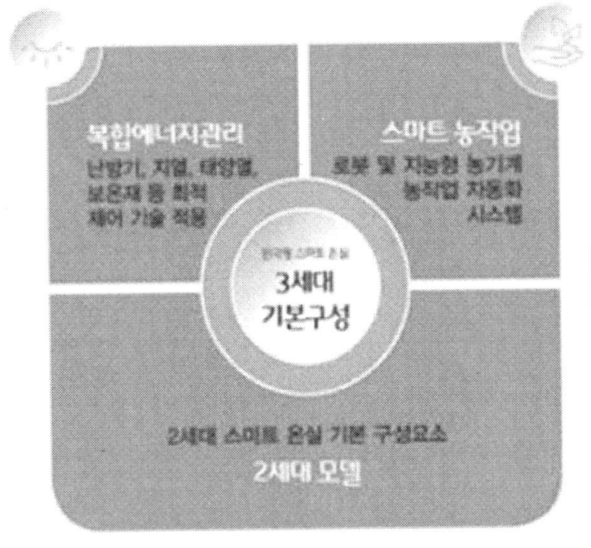

스마트 온실 시스템의

"최적 에너지관리와 로봇 농작업"

센서 정보	기상정보: 온도, 습도, 풍향, 풍속, 일사 온실환경: 온도, 습도, CO_2, 토양온도, 수분, EC, 작물진단센서, 에너지관제센서, 로봇항법센서
장치 제어	천창, 측창, 보온재, 유동팬, 환기팬 관수, 양액공급, 로봇농작업기, 에너지관제시스템

"한국형 스마트 온실로 농산업 성장동력화"

국제 규격 적용과 부품 표준화로 **글로벌 시장 진출**

[그림 58] 3세대 스마트팜

2) ICT융합 스마트 원예시설 산업화 모델 개발

농업 분야에서 미국, 일본과 같은 농업선진국들의 대규모 기업농들은 이미 자체적으로 ICT융합 기술을 적용한 생산 및 유통 지원 시스템을 구축하기 위하여 각종 연구를 추진하고 있다. 하지만, 농업환경에 적합한 센서 개발, 시설 농자재와의 결합 등의 문제들로 인해, ICT융합 기술이 적용된 효과적인 복합 시스템을 구축하는 데에 많은 어려움이 존재한다.

따라서, ICT융합 기술을 이용하여 원예시설 내·외의 정보를 자동으로 수집하고, 작물의 종류, 생장단계, 기후 및 계절에 따라 각종 생장조건을 최적으로 관리하며 각 재배작물에 최적화된 파라미터를 바탕으로 생장 및 품질을 예측하여 작물의 생장 및 생산력을 극대화하는 기술이 필요하다.

국내의 시설원예 산업은 지속적으로 발전해 왔으나, ICT융합 시설이 대부분 유리온실에 의존도가 높아 성장 한계를 보이고 있으며, 단동 및 연동 비닐하우스에 대한 ICT융합의 시설환경 모델이 필요하다.

이를 위해 농촌진흥청, 순천대학교, 시설원예 ICT 융복합협동조합은 ICT 융합 스마트 원예시설 산업화 모델 개발을 진행했다. 2015년 단동 및 연동 내재해 온실구조 기반 스마트 온실 모델을 개발했으며, 시설원예 ICT 부품 및 기기를 표준화했다.

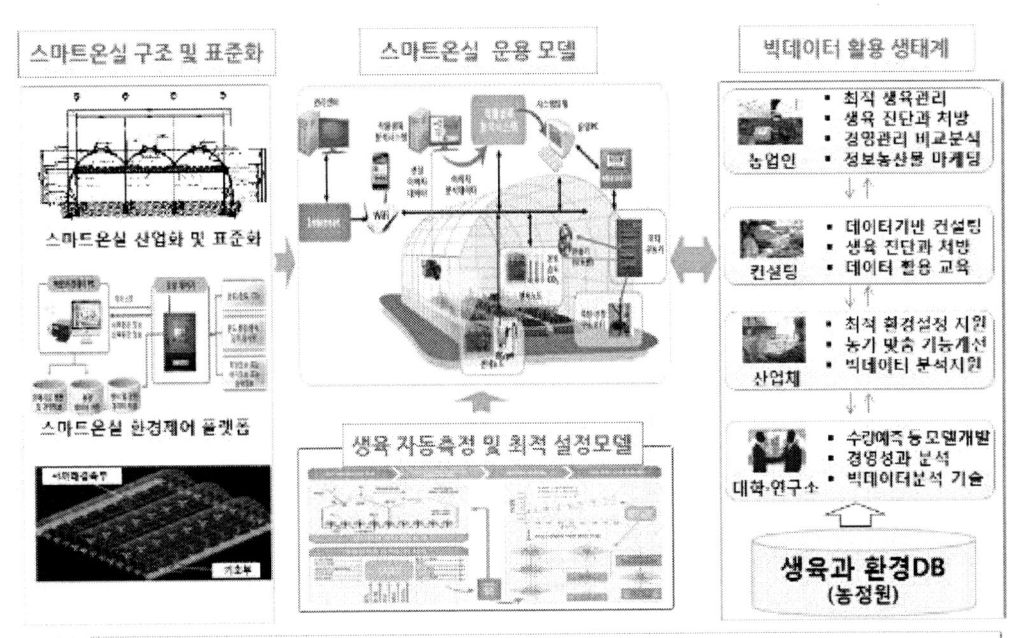

[그림 59] ICT 융합 스마트 원예시설 산업화 모델 개발

3) 클라우드 기반 스마트베드 시스템 및 FaaS 기술

팜클라우드(FaaS)는 농장에서 작물을 생산하는데 있어, 작물의 생육 상태를 모니터링하고, 수동 또는 자동으로 시설 및 장치를 제어하는 PaaS 기반의 서비스를 제공한다.

팜클라우드는 장치관리서비스(EMS based FaaS), 데이터관리서비스(DMS based FaaS), 모델관리서비스(MMS based FaaS) 등의 관리 서비스, 스마트팜모니터서비스(FMS based FaaS), 스마트팜 제어서비스(FCS based FaaS) 등 단순/복합제어 서비스, 농장 생산·경영관리를 서비스 하는 스마트팜운영서비스(FOS based FaaS)로 구성된다. 관리 서비스는 스마트팜을 구성하는 다양한 장치와 플랫폼 사이에 1대 다수(n)형태의 가상화 형태로 접근이 가능하다. 스마트팜 서비스는 수집된 정보의 모니터링이 가능하며, 수집/분석된 데이터를 통한 사용자(농가) 수동 제어를 지원한다. 또한, 생육/환경 제어 알고리즘을 통한 복합 제어를 지원할 수도 있다.

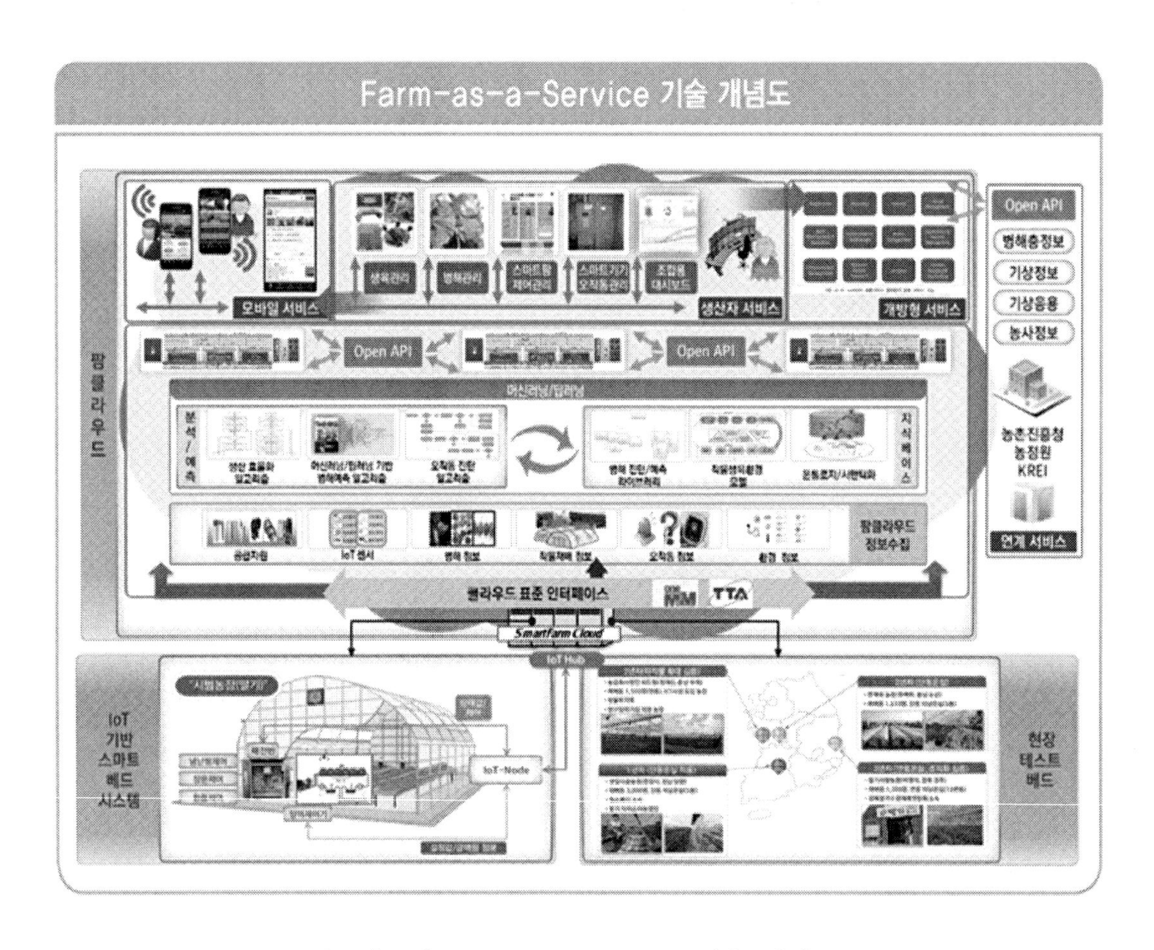

[그림 60] Farm-as-a-Service 기술 개념도

4) 지리정보와 종업 의사결정 시스템

농촌진흥청의 한국토양정보 시스템 웹사이트인 '흙토람(soil.rda.go.kr/)'은 2006년부터 2010년까지 친환경농업육성 5개년 계획에 의거, 전국 토양 데이터베이스를 종합 전산화한 '한국토양정보시스템 웹사이트 흙토람'을 개시했다. 흙토람은 어느 누구나 인터넷을 통해 쉽게 접속이 가능하며, 논이나 밭의 주소를 입력한 후 알고 싶은 토양의 특성을 선택하면 전국 토양의 산도, 물 빠짐, 유기물 함량, 자갈 함량 등과 같은 물리·화학적 특성 등의 정보를 얻을 수 있게 구성되어 있다.

또한, '국내토양 GIS 주제도'와 29개 작물에 대한 '재배적지 지도'를 활용하여 작물의 재배와 관련된 땅의 특성과 정보를 얻을 수 있어 적절한 토양관리가 가능하다. 이외에도 흙토람은 99개 작물별로 최적화된 시비처방을 제공함으로써 농업인을 위한 토양 및 양분 관리 컨설팅을 제공하며, 알맞은 비료량 추천을 위하여 발급되었던 500만점의 토양분석성적 및 토양관리처방서도 웹사이트를 통해 누구나 쉽게 열람 가능하다.

최근 농촌진흥청은 농협과 함께 수집한 최신 인삼 재배이력 정보 3만 4,092건(필지)을 '흙토람'에 새로 게재했다고 밝혔다. 이번에 추가된 정보는 2017년과 2018년 자료로, 그동안에는 2016년까지의 정보 17만 4,074건(필지)만 확인할 수 있었다. 흙토람 정보를 활용하면 농가에서는 10년 이내 인삼을 재배한 땅을 피해 농사를 지을 수 있어 이어짓기(연작) 피해를 예방할 수 있다. 또한, 밭의 이력을 미리 확인함으로써 토양을 관리하고 인삼 재배 계획을 세우는 일도 한층 수월해질 것으로 기대된다. 농촌진흥청은 농가가 인삼 재배지 정보를 손쉽게 확인할 수 있도록 정부혁신에 따라 인삼 재배 이력을 '흙토람 누리집(soil.rda.go.kr → 작물별 토양적성도)'에서 제공 중이다.[39]

[40]

[그림 61] 흙토람

39) 인삼 이어짓기 피해 '흙토람'으로 예방, 한국농촌경제신문(2020)
40) http : //soil.rda.go.kr/

5) 스마트 축산[41]

국내 축산산업은 양돈과 양계를 중심으로 계열화가 빠르게 진행되고 있으며, 규모화가 빠르게 진행되고 있어 타농산물 분야에 비해 자본축적도가 높다. 또한, 규모화와 자동화를 통한 생산량 향상 노력이 빠르게 진행되고 있어 IT를 기반으로 하는 생산기반이 매우 발달하고 있다. 국내의 ICT융합 기술을 보면 센싱부분 특히, 환경측정 센싱과 단순 시설에 많은 연구가 되어있다. 한우, 낙농의 경우 단순한 발정탐지기나 로봇착유기 및 로봇포유기처럼 대동물의 각 개체별 관리 기술이 많이 발달되어 있으나 단순히 정보의 수집과 관찰로 실질적으로 각 개체의 자동적인 관리와는 거리가 멀다.

양돈의 경우 국내 기술이 가장 발달한 부분으로 전반적인 연구 및 개발이 많이 진행이 된 상태다. 특징적으로 단순 시설의 선별기가 발달이 되어 각 개체 관리 및 군사관리가 이루어지고 있으며, 사양관리 및 모니터링 시스템의 개발로 양돈장에서 출하까지 실시간으로 관리하고 적절한 시기에 출하를 결정할 수 있다. 양계의 경우 국내에서는 환경측정센싱이 많이 발달하였으나 환풍 및 온도제어만을 하는 시설이 많이 있는 것으로 추정되기 때문에 스마트축사의 기준을 어디까지로 볼지 명확히 정리해야 할 필요가 있는 것으로 보인다.

현재 국내 스마트축사는 각 회사에서 자체적으로 생산한 제품보다는 외국의 제품을 도입하여 사용하고 있기 때문에 비용이 많이 들고, 고장 시 수리 혹은 유지보수를 받지 못하는 등 여러 문제점이 발견되고 있다. 또한, 각 제조사별로 사용되는 규격이 다르므로 다른 제품과의 호환성이 떨어지는 실정이기 때문에 스마트축사에서 사용되는 기기들의 표준화가 필요하다.

<table>
<tr><th colspan="3">분야</th><th>양돈</th><th>한우/낙농</th><th>양계</th></tr>
<tr><td rowspan="5">생산운용</td><td rowspan="3">센서</td><td>환경측정용</td><td>감지센서
(온도,습도,정전,화재)</td><td>축산 전용
영상시스템</td><td>감지센서
(온도,습도,정전,화재)</td></tr>
<tr><td>선별용</td><td>모돈 발정 체크기</td><td>발정 시스템</td><td></td></tr>
<tr><td>감시용</td><td>지능형 CCTV</td><td>-</td><td></td></tr>
<tr><td colspan="2">적용장치</td><td>• 액상 사료 급이기
• 건습식 사료 자동 급이기
• 비육돈 선별기
• 임신돈 군사장치</td><td>• 로봇포유기
• 로봇착유기</td><td></td></tr>
<tr><td colspan="2">운용관리</td><td>• 피그 플랜
• 양돈HACCP시스템
• IP-USN 축사 모니터링 시스템
• u-IT 친환경 양돈사양 관리 시스템
• 스마트 웰빙 양돈장</td><td>• 음수관리시스템
• 송아지 로봇 포유기 운영시스템</td><td></td></tr>
</table>

[표 32] 국내 현대화 축산 시스템 현황 요약

41) 빅데이터와 ICT융복합을 활용한 한국형 스마트팜 모델, 권기덕 (2020)

가) 양돈 분야

u-IT 기반 양돈 HACCP 시스템은 제주특별자치도, 아시아나IDT, 신세계아이앤씨가 2007년 참여한 사업에서 ICT 융합을 통하여 축사환경관리와 사양관리, 이력관리 등에 대한 시스템을 동시에 구축한 사례이며ID/USN의 u-축사시스템을 통하여 돼지 질병예방을 위한 생장환경을 모니터링하고, HACCP 기반의 사양관리와 생산이력 관리를 가능하게 하였다. 이는 도축장용 관리시스템, 가공공장관리시스템을 구축하여 도축, 가공, 출하 전 과정을 정보시스템으로 연결하여 이력정보를 확인할 수 있게 하였으며, 가공공장에서 RFID 태그, 라벨을 이용하여 돈육 혼입이 방지되도록 하였다.

HACCP 통합운영센터 관리시스템을 통하여 양돈 DNA뱅크를 구축하고, 농가-도축-가공-판매장을 통합관리, 돈육생산자, 가공자 정보, 돈육 입점 등록 등의 정보를 관리하고 기록할 수 있게 하였다. IP-USN 기반 축사 모니터링 시스템은 2011년 순천대학교에서 개발한 시스템으로 축사 내 유해가스 감지센서 및 돈사 모니터링 시스템을 이용하여 유해가스를 제어할 수 있도록 하였으며 이를 통한 생산성을 규명하였고 개체별 스마트 생장 관리 시스템과 RFID, USN을 이용한 개체별 사양시스템을 개발하였다.

u-IT 기반 친환경 양돈 사양관리 시스템은 전라북도 장수군과 (주)팜스코 장수종돈장이 공동으로 추진한 시스템으로 USN기반의 자동화된 돈사환경관리, 양돈 사양관리, 사료관리, HACCP, 생산, 경영관리를 통해 친환경 축사환경을 구축하고 생산성을 향상시키도록 개발하였다. 기본적으로 USN에 의한 자동화된 돈사환경관리를 기반으로 하며, 분만사 자동급이기, 센서가 부착된 사료빈과 음수벨브로부터 실시간으로 정보를 수집하여 u-IT기반의 양돈사양관리가 가능하게 하였으며 정보들은 통합데이터베이스를 통해서 관리되며 농장경영과 HACCP관리를 관리프로그램에서 손쉽게 처리하고 돈사에서 이상징후가 발생할 경우 알리미 서비스를 통해 농장주에게 실시간으로 경보를 보내는 기능도 구현하였다.

구분		내용
친환경 양돈사양 관리시스템	역할	USN기반의 자동화 돈사환경관리, 양돈사양관리, 사료관리, HACCP, 생산 및 경영관리를 통해 친환경 축사환경 구축하고 생산성 향상
	특징	농장경영과 HACCP관리를 운용관리 프로그램에서 용이하게 관리하고 이상 징후발생시 실시간 경보
IP-USN 기반 축사 모니터링	역할	축사 내 유해가스 감지센서 및 돈사 모니터링 시스템 이용하여 유해가스를 제어
	특징	효율적인 제어를 통해 생산성 향상
U-IT기반 양돈 HACCP 시스템	역할	RFID/USN U-축사시스템을 통하여 돼지 질병 예방을 위한 생장 환경을 모니터링하고 HACCP기반 사양관리 및 생산이력 관리 시스템
	특징	도축, 가공, 출하 전 과정을 정보시스템으로 연결하여 이력 정보를 확인하고 통합운영센터 관리시스템을 통해 양돈 DNA뱅크 구축

[표 33] ICT 기반 스마트 축산 양돈 국내사례

나) 한우/낙농 분야

농촌진흥청에서는 2009년 송아지의 발육과 영양 상태에 따라 젖을 먹는 양과 시기를 자동으로 조절해주는 인공지능 로봇인 송아지 로봇 포유기 운용프로그램(CALF U-MO)을 개발하였으며 송아지의 체중과 일령에 따른 맞춤형 젖주기와 영양상태 관찰 기능 등 다양한 기능을 갖춰 맞춤형으로 건강하게 송아지를 사육할 수 있다. 이를 이용하여 모유수준의 대용유를 공급하며 1회 정량을 다 먹으면 꼭지가 숨어 송아지의 과식이나 급체를 방지하고 자동소독 기능, 송아지 키에 따른 높낮이 조절 기능 등 인공지능적인 기능을 적용한 사례가 있다. 또한, 산업동물분야에 첨단IT를 접목해 동물복지를 실현한 첫 사례로 개체의 상태에 맞는 맞춤형 건강관리와 무인 젖주기가 가능하게 되었다.

2011년 한국후지쯔에서 개발한 우보시스템은 소의 발목에 무선통신기능이 내장된 만보계를 장착한 뒤 소의 발정을 정확히 탐지하여 조기에 알려주고 수정적기 및 건강상의 이상 징후를 파악할 수 있는 솔루션이다. 발정 징후를 보이는 소는 평소보다 걸음수가 증가하는데 이를 수신기로 수집하여 분석한 결과를 PC와 스마트폰으로 전달하며 체계적인 번식관리 기능을 제공하며, 소의 발정이 야간에 주로 이루어져 감지하기 어려웠으나 우보시스템은 100%에 가까운 발정 발견율을 보이고 있다.

로봇착유기라 불리는 자동착유시스템(Automatic Milking System: AMS)이란 사람의 개입없이 유두세척, 착유, 이송 등이 이루어지는 최첨단 착유시스템이다. 농축업의 특성상 다른 어느 업종에 비해 힘들고 어려운 일로 인식되어 많은 축산업 종사자들이 농축산을 포기하거나 포기할 의향을 가지고 있는 현실을 고려하면 다양한 개체 장비의 개발로 농축산경영과 운영에 대한 인식의 변환을 가져오고 있다. AMS는 최첨단의 착유시스템으로 1990년대 초에 개발된 이래 세계 30여 개국 16,000~18,000대 가량 보급되어 있으며, 우리나라에서는 2006년 경기도지역에 최초로 설치된 이후 2010년 27대, 2016년 100대가 보급된 이후 확대되어 현재 약 300대가 가동 중에 있다. 국내에서 자체개발한 착유기는 아직 없으며, 네덜란드와 스웨덴 등으로부터 수입되어 사용되고 있는 실정이다. AMS는 1회, 2회 사람이 직접 착유하는 기존 착유방식(파이프라인, 헤링본, 텐덤 착유기)에 비해 24시간 착유가 가능하며, 착유횟수를 2~3회 이상으로 늘려 산유량을 향상시킬 수 있다. 무인 자동으로 착유하기 때문에 착유노동력 또한 획기적으로 감소시킬 수 있는 점이 축산 경영에 긍정적인 효과를 얻고 있다.

한우 및 젖소용 양질의 풀사료 생산 전자지도	역할	기후와 토양자료를 이용하여 풀사료 생산량 재배 적지 및 예측 기술 연구
	특징	초종별 재배 적지 정보 제공 사료작물의 기상 및 토양정보 활용
우보시스템	역할	소의 발목에 무선 통신기능의 만보계 장착하여 수정적기 및 이상징후 파악
	특징	분석결과를 전자기기로 전달하여 소의 발정을 발견하기 용이
로봇착유기	역할	사람의 개입 없이 유두세척, 착유, 이송 등이 이루어지는 최첨단 착유 시스템
	특징	24시간 사용 가능 착유를 통한 스트레스 감소
송아지 로봇포유기 운용프로그램	역할	송아지 발육에 따라 젖의 양과 시기를 자동으로 조절해주는 로봇
	특징	1회 정량 제공 후 포유기가 숨게 하여 송아지의 과식이나 급체를 사전에 방지

[표 34] ICT 기반 스마트 축산 한우, 낙농 국내사례

04 스마트 팜 국내외 정책 동향

4. 스마트 팜 국내외 정책동향

가. 해외 정책 동향

유엔식량농업기구나 세계은행 등 국제기구 및 국제농업연구자문그룹(CGIAR) 등의 국제연구기관들은 지구차원의 식량안보 및 농업문제, 그리고 가난한 국가의 국민이나 농민의 생계문제를 해결하고자 농업연구 및 농업개발에 많은 투자를 해오고 있다.

각국 나라에서도 농업기술 개발을 위한 연구에 많은 투자를 하고 있는데, 본 장에서는 각 지역 실정에 맞는 기술을 개발하고 이를 바탕으로 영농현장에 적용하기 위한 정책적, 제도적, 사회경제적 여건을 조성하기 위한 정책들을 살펴보도록 하자.

1) 미국

미국 정부는 농업의 성장이 식량 안보에 직접적인 해결책이 된다는 인식하에 1990년대부터 지속 가능한 농업 및 환경촉진을 주요 전략으로 설정하였다.

미국의 국가과학기술위원회(NSTC) 주도로 ICT 융합의 기반이 되는 원천기술에 2002년 18억 달러에서 2012년 37억 달러까지 투자를 확대해왔다. 2000년에 들어 GPS를 이용한 무인주행 농작업과 조간 농자재 변량(row-by-row) 살포기술이 이용되
고 있으며, 실시간 센서개발과 정밀농업과정에서 취득한 농산물 생산이력의 이용을 추진하고 있다.

2014년엔 국립 기상 서비스(National Weather Service)와 농무부(USDA)가 오픈 데이터 정책 추진을 통해 각종 농업 서비스 개발을 촉진해오고 있다. 미국의 'The Climate Cooperation'은 250만개의 기상데이터와 과거 60년간의 수확량 및 1,500억 곳의 토양데이터를 바탕으로 지역, 작물별 수확 피해발생 확률을 계산하고 이를 토대로 농가를 위한 맞춤 보험 프로그램을 제공한다.

미국 농장의 최첨단화가 가능하게 된 이유는 기술 발전 덕분이며, 특히 이러한 기술들은 '농업의 실시간 관리', '관리의 효율성 향상'에 중점을 두고 개발되었다. 이 중 기계로 농약을 살포해야 하는 대단위 농지 등에서 농약을 얼마나 뿌리면 되는지 조절할 수 있는 기술인 '스마트 스프레이 시스템', 대형부터 소형에 이르기까지 작황 상태를 진단하고 농업 공정의 자동화를 돕는 '로봇'과 '드론', 농가의 작황과 농장 기계 상태를 실시간 관리할 수 있는 '센서' 등의 기술이 현재 상용화되고있다. 이런 최첨단 농업 기술은 미국 정부의 적극적인 투자를 바탕으로 향후 더욱 발전할 것으로 전망된다.

2) EU

유럽연합(EU)은 2004년 '지식사회 건설을 위한 융합기술 발전전략'을 수립하여 2013년까지 진행되는 '7th Framework Programme 2007~2013'을 통해 융합기술을 구체화하고 농업 분야를 이에 포함시켰다.

2014년부터는 이를 'Horizon 2020'으로 명칭을 바꾸고 농업을 주요 현안 중 하나로 포함시켜 사회적 현안 해결을 위한 지속가능한 농업의 역할을 강조해오고 있다. 유럽연합의 농업연구상임위원회(SCAR)에서는 농업 및 ICT 융합 R&D 정책 추진을 맡고 있다.

유럽연합의 농업/ICT 융합 R&D 정책은 농식품 분야에 대한 투자확대로 유럽의 지식 기반 바이오 경제(Knowledge based Bio-economy)를 달성하는 것을 목표로 추진되고 있다.

한편 유럽연합은 주요 농업 프로젝트 중 하나로 'ICT-Agri 프로젝트'를 추진하고 있는데, 이는 유럽연합 집행기관(European Commission)의 기금(ERA-NET scheme)으로 운영되는 EU 차원의 농업분야 ICT 국제공동 연구 프로젝트이다.

본 프로젝트는 정밀농업분야에 대한 EU 차원의 연구역량 및 회원국 간의 연구협력네트워크 강화를 주요 목표로 두고 있다. 또한 EU 공통의 연구의제 설정을 통해 농업분야 ICT 및 로봇 기술 연구개발의 효과성과 효율성 제고를 위해 노력 중이다.

본 프로젝트를 통해 농업분야의 지속가능성을 높이고 혁신적인 기술개발을 촉진하기 위해 유럽연합은 민관협력을 장려하여 민간기업과 사용자(농부)들의 참여를 도모하고 있다

3) 일본

일본 정부는 2004년 '신산업 창조전략'을 통해 융합 신산업 창조전략을 추진하고, 2011년 i-Japan 전략을 수립하면서 농업을 ICT 융합 기반의 신산업으로 육성하기 위한 6대 중점 분야 가운데 하나로 선정하였다.

일본의 농업/ICT 융합 기술은 기계화, 편리성 도모, 수익향상, 건강증대, 안정성 확보 등의 측면에서 광범위하게 적용되고 있다. 2010년 농업의 성장산업화 전략의 하나로 '농업 6차 산업화'를 도입, 이를 제도적으로 뒷받침하기 위해 2011년 3월, 6차 산업 관련법을 제정하여 지역 활성화로 이어지도록 각종 지원을 이어나가고 있다.
2014년 농림수산성을 주축으로 '농업 정보의 생선, 유통 촉진 전략(2014.6)'을 수립하고 농업 관련 데이터의 수집 및 분석 활성화를 모색해오고 있다. 최근에는 농업/ICT 융복합 기술인 Smartagri 시스템, 영농정보관리 시스템(FARMS)을 개발하여 농업의 기계화, 자동화를 구현해오고 있다.

4) 중국

중국정부는 인터넷과 제조업 융합을 통한 중국 산업의 업그레이드 계획으로, 10대 산업 중 농업 기계설비 분야를 포함시켰다. 인터넷 플랫폼 및 정보기술을 활용한 인터넷과 전 산업의 융합을 통해 새로운 경제발전 생태계를 창조하는 전략으로, 중국 전통 제조업 유통업 등의 스마트화가 가속화될 전망이다.

중국 정부의 1호 문건에서 2004년 이후 13년째 '삼농(三農)' 즉 농민, 농촌, 농업이 중요시되어오고 있어 중국 정부의 최대 현안이 삼농임을 알 수 있다. 특히 2016년 '1호 문건' 에서는 '지속적으로 농업 현대화의 기반 구축, 농업 질량 효능 및 경쟁력 제고'의 주제를 1항으로 언급한 바 있다.

또한, 2016년 10월 20일, 국무원이 <전국 농업 현대화 계획(2016~2020년))을 발표해 농업 현대화의 일환으로 스마트농업을 언급하기도 했다.

정부는 기술 장비와 정보화 수준을 제고하기 위해 인터넷플러스[42]의 현대농업 적용 실시를 강화하고, 사물인터넷, 지능형 설비의 보급 응용을 확대하며, 농촌가구마다 정보이용을 보급, 농민의 모바일 활용을 제고해 2020년까지 농업 사물인터넷 등 정보기술 응용 비율을 17%까지 올리고, 농민 인터넷 보급률을 52%까지, 농촌가정에 정보도입을 80%로 올리는데 노력하고 있다. 또한 글로벌 농업 데이터 조사 분석시스템 구축, 주요 농산품의 수요공급 정보의 정기 발표 공개, 데이터 수집 감측 분석 발표 추진, 일체화된 국가데이터 클라우드 플랫폼 구축, 농업 동작감지센서 기초시설 건설 등도 추진하고 있다.

2020년까지 농산품 재배, 목축, 어업 생산 등에 사물인터넷 도입을 확산하고, 10개 농업 사물 인터넷 응용시범, 성내 100개 농업사물인터넷 응용 시범구, 1000개 시범기지 건설, 촌단위급에 농업정보 회사를 건설할 계획이다.

이와 더불어 글로벌 농업 데이터 조사 분석시스템을 건설하고, 국가 농업 데이터 센터를 업그레이드 개조하며 위성감지센터, 항공 드론을 활용해 농지 모니터링을 위한 일체화된 감지센서응용연구센터를 건설한다.

---

42) 모든 전자 기기에 인터넷을 더한다는 뜻으로, 리커창(李克强) 중국 총리가 2015년 3월 발표한 정부의 액션 플랜에서 처음 언급하였다. 모바일 인터넷, 빅데이터, 사물인터넷(IoT), 클라우드 컴퓨팅 등을 제조업과 융합시켜 전자 상거래, 인터넷 금융 등의 발전을 이루고 중국 인터넷 기업이 글로벌 시장에서 입지를 다질 수 있도록 하기 위한 전략이다. [네이버 지식백과] 인터넷 플러스 (시사상식사전, 박문각)

5) 캐나다[43)]

① 캐나다 농업 동반자 사업(Canadian Agricultural Partnership, CAP)

캐나다 연방정부는 2018년부터 5년간 연방정부 또는 지방정부가 진행하는 첨단농업 프로젝트에 총 C$ 30억(약 2조 6,657억 원)을 지원할 계획이다. 이는 연방정부와 각 주정부간 협력하에 집행되는 공동 펀드이며 Agriculture and Agri-Food Canada(AAFC)가 주관한다. 알버타 주의 경우, 위의 프로그램과 연계된 주정부 지원프로그램이 있으며 연방정부 또는 지방정부의 국책과제에 선정된 민간기업과 유관기관들이 정부의 지원을 받는 형식으로 진행된다.

농업 파트너쉽 사업은 크게 세 가지의 세부 프로그램으로 운영 중이며 이외에도 농업 관련 보험, 구호제도 등 다양한 프로그램을 운영하고 있다. 특히, 농업 연구 개발 프로그램은 정부, 학술기관, 산업체간의 파트너쉽을 통해 상업화 이전의 학술 연구 및 기술화 연구 활동의 혁신 속도를 높이기 위해 운영하고 있다.

세부 프로그램	프로그램 상세
농업연구개발 (AgriScience)	스마트팜 관련 첨단기술 연구 개발 프로젝트 지원(총 C$ 3억 3,800만(약 3,003억 원) 투자)
농업혁신 (AgriInnovation)	농·축산업분야의 혁신제품 및 서비스의 상용화를 가속화하기 위한 투자(총 C$ 1억 2,800만(약 1,137억 원)
농업마케팅 (AgriMarketing)	중소기업의 경쟁력 강화 및 수출시장 다변화를 위해 광고 및 홍보, 시장조사 등 마케팅 비용 지원 (5년간 C$ 1억(약 888억 5,500만 원) 규모)

[표 35] 농업 파트너쉽 사업

② 슈퍼클러스터 육성정책

캐나다는 산·학·연 연계를 통한 혁신기술 개발과 고용창출, 경제성장 도모를 골자로 하는 슈퍼클러스터(Innovation Superclusters) 육성정책을 운영 중하고 있다. 해당 정책을 통해 캐나다는 5년간 전략 산업분야 연구개발 프로젝트에 총 C$ 9.5억(약 8,441억 원)의 예산을 지원할 예정이다.

결과적으로, 농업 분야의 프로젝트가 최종 채택되어 카놀라, 밀 등 주요 곡물에 새로운 가공기술을 접목하여 식물성 단백질을 개발할 계획이다. 캐나다는 이를 통해 다양한 작물에서 영양분을 추출하여 기존 동물성 단백질을 대체할 수 있는 새로운 식재료를 개발하는 것이 주요 목적이다. 해당 프로젝트에는 메이플 리프 푸드(Maple Leaf Food), 서스캐처원 대학교(University of Saskatchewan) 등 100여개 이상의 기업과 기관들이 공동 참여하며, C$ 1억 5,300만(약 1,359억 원) 규모의 재원이 교부될 예정이다. 연방정부는 해당 프로젝트 진행으로, 향후 10년간 국내총생산(GDP) C$ 45억(약 3조 9,985억 원) 증가, 신규 4,500개의 일자리 창출 등을 기대하고 있다.

43) 캐나다 스마트팜 시장 동향, KOTRA, 2021

③ 농·축산업 분야에 이민 장려 프로그램 시행

농·축산업은 지속적으로 캐나다의 노동부족 직군으로 선정되고 있다. 2017년 기준, 캐나다 축산업 분야의 일자리 공석률은 약 9.3%, 인력부족으로 인한 업계손실은 연간 약 C$ 7억 5,000만(약 6,670억 원) 규모로 인력부족 문제가 심각한 수준이다.

이에, 연방 정부는 지난 2019년 3월 농·축산업 인력부족 해결을 위해 '이민 장려 프로그램'을 시범적으로 운영할 계획을 발표했다. 이를 통해 농·축산업 분야의 취업비자 만료기간을 1년에서 3년으로 확대하는 등 향후 3년 간 2,750명의 신규 외국인 근로자를 고용할 수 있을 것으로 기대하고 있다.

6) 러시아[44)]

러시아의 '식품안전정책'은 2010년 1월 30일 대통령령에 의해 승인됐다. '2017-2025년 러시아의 과학기술 개발 전략'은 2016년 12월 1일 대통령령에 의해 발효됐는데 이 중 National Technology Initiative(러시아 산업 4.0)가 채택(2016년 4월)됨으로써 러시아 연방의 디지털 경제 프로그램은 본격화(2017년 7월 28일 연방정부에 의해)됐다. '2017-2025년 러시아 과학기술개발전략'은 스마트팜을 포함해 10~15년간 주요 산업의 첨단 디지털화와 스마트화, 로봇화 전환을 주요 과제로 삼고 있다.

2035 National Technological Initiative 중 FoodNet 전략이 바로 스마트팜과 연관성이 깊다. 해당 전략은 영양소 및 최종 식품(개인 및 일반, 전통적 원자재 및 대체품), 관련 IT 솔루션(물류 및 개별 식품 선택 서비스)의 생산 및 마케팅을 지원하는 프로그램이다. FoodNet 일환의 '스마트 농업화'는 주로 신품종 농작물 및 동물 품종 도입, 신규 원자재 공급원 마련, 고품질 유기 물질(농업용 생물학 제제, 사료 등)과 개인 맞춤형 식품 선택권 확대 등을 목표로 두고 추진되고 있다.

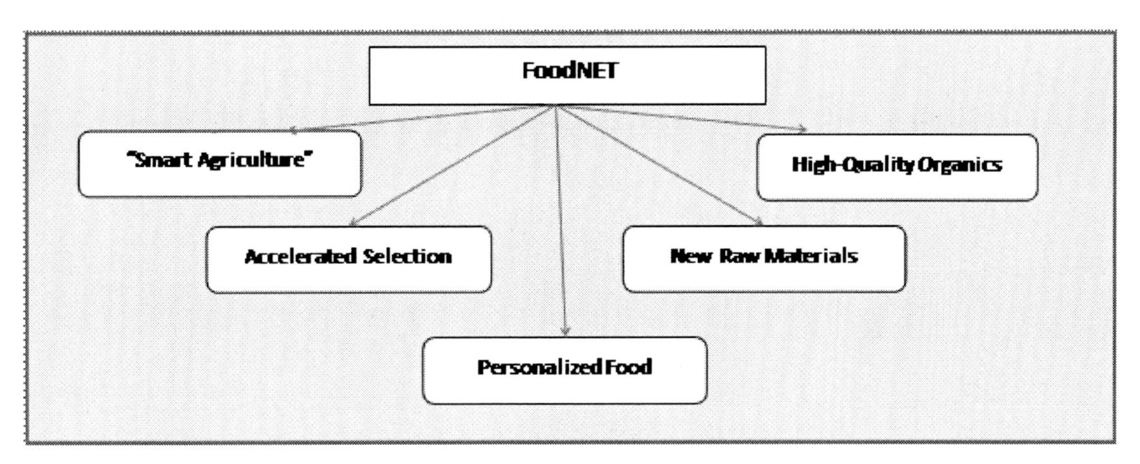

[그림 62] 러시아 FoodNet 로드맵

2035 National Technology Initiative는 '스마트 농업'을 자동화 및 로봇화, 지리적 포지셔닝, 인공 브레인, 빅데이터 및 기타 디지털 솔루션 등 농작물 및 가축 사육을 위한 효율적인 기술 솔루션 구축을 의미한다. FoodNet 로드맵은 현재까지 초안 작성 단계로서 러시아 전략 계획상으로 보면 FoodNet의 5개 하위 카테고리를 포함해 러시아 스마트팜의 세계 점유율은 5%에 달할 것으로 추정된다. 농업 부문의 IoT 도입은 National Technological Initiative 시행과 관련이 깊으며, 러시아 벤처기업이 프로젝트 추진을 담당하고 있다.

44) 러시아 스마트팜의 시장 잠재력, KOTRA, 2021.04.13

나. 국내 정책 동향

2018년 정부에서 내놓은 스마트팜 확산방안을 살펴보면 정부는 스마트팜을 혁신성장 선도 사업으로 선정하고 종합 대책을 마련하고 있다. 기존에 시행하고 있는 정책과 2018년 새롭게 실시될 대책방안을 비교하면 다음과 같다.

구 분	현 행	개 선	
스마트팜 보급	온실	온실	('17) 4,010ha → ('22) 7,000
	축사	축사	('17) 790호 → ('22) 5,750
	-	기타	노지채소, 수직형 농장 등 도입
정책대상	기존 농업인	기존 농업인	스마트팜 보급 + **규모화·집적화** * 대량안정적 공급체계 토대로 국내외 시장개척
	-	**청년 농업인**	**청년 창업보육 프로그램** 신설 **청년 임대형 스마트팜** 조성 자금·농지·경영회생 지원체계 마련
	-	**전후방 산업**	**스마트팜 실증단지** 조성 * 농업-기업-연구기관 공동 **R&D**로 기술혁신, 신시장 창출
확산거점	-	**스마트팜 혁신밸리**	**생산·유통, 인력양성, 기술혁신** 및 전후방산업 **동반성장**의 거점

[그림 63] 금번대책과 기존정책과의 비교

한국 정부는 2014년부터 스마트팜 확산을 농업의 핵심 성장 동력으로 보고, 스마트팜 확산을 위한 정책지원을 확대하고 있다. 스마트팜 보급 예산은 2014년 220억 원에서 2016년 468억 원으로 확대됐으며 2019년 스마트팜 예산은 5,642억원으로 전년도 대비 30.5%가 증가했다.

2019년 증액된 예산은 스마트팜 혁신밸리 4개소 조성 등에 사용될 전망이다. 특히 청년 농업 부문에서 창업할 경우 정부가 소액만 받고 땅을 빌려주는 사업도 함께 병행한다. 2019년 정부는 농업 혁신성장과 스마트팜 확산방안을 본격화하기 위해 청년창업, 산업인프라, 스마트팜혁신밸리를 가장 큰 핵심요소로 꼽았다.

청년창업은 역량있는 청년들이 도전하는 스마트팜 생태계를 만들겠다는 것이 핵심이다. 이를 위해 창업보육센터에서 교육부터 실습, 창업까지 전주기를 지원한다. 최대 20개월 동안 수요자 맞춤 장기교육, 자기 책임하 경영형 실습 등 창업보육센터 교육과정을 마친 교육생들에게 농업법인 취업알선, 영농정착지원금지원, 벤처창업센터 취업 컨설팅 연계 등을 제공한다.

산업인프라는 스마트팜 전후방산업의 경쟁력을 강화하기 위한 것이다. '스마트팜 실증단지'를 조성하기 위한 가장 큰 이유다. 스마트팜 기자재 전시 및 테스트, 스마트팜 체험, 스타트업 창업 지원 등을 통해 기자재 . 바이오 등 실증연구와 제품화를 추진할 계획이다. 기업과 연구기관, 공공기관 등이 참여하며 관련기술들을 연구하고 실제 수출을 지원하는 스마트팜 수출사업 연구단을 운영해 UAE(아랍에미레이트) . 카타르와 사막 기후에 스마트팜을 접목하는 기술협력을 지난해부터 지속적으로 추진해온 것도 산업 인프라를 조성하기 위해서다.

스마트팜 혁신밸리는 스마트팜 집적화와 청년창업, 기술혁신 기능을 집약한 첨단 농업 거점을 꾸리겠다는 목표다. 생산단지부터, 창업보육센터와 임대형 스마트팜, 스마트팜 실증단지, 농촌형 공공임대주택조성 등을 혁신밸리로 묶어 농촌에 활력을 불어넣는 환경을 만들 계획이다. 또 지역특성에 맞는 혁신밸리 모델을 발굴해 정부와 지자체, 농업법인, 기업 등의 참여와 투자를 유도해 오는 2022년까지 4개소를 조성할 방침이다.

국내 시설 원예부분에서는 2014년부터 시설현대화와 연계하여 ICT 기자재 보급을 실시했으며, 2016년에는 스마트온실 신축을 2017년부터 스마트 원예단지 기반 조성을 지원하고 있다. 그 결과 스마트팜 성과에 대한 인식이 확산되면서 파프리카·토마토 등 시설채소 중심으로 스마트팜 보급 면적이 급격히 증가하는 추세이다.

축산부분에서는 2014년부터 ICT 융복합 확산 사업을 통해 자동 급이기, 음수기 등 ICT 기자재 보급, 스마트 축사 신·개축 및 전문가 컨설팅 지원하고 있다. 최근 3년간 성과확산 및 홍보로 대상 축종 및 농가가 빠르게 확대되고 있다.

R&D 부분에서는 ICT 기자재 표준화·국산화, 품목별 생육관리기술 개발을 중점과제로 추진하고 있으며 예산도 2014년 54억 원에서 2018년 336억 원까지 증대시킬 계획이다. 산업인프라 구축 및 농가 편의를 위해 2016년 시설원예 25종을, 2017년 축산 19종을 단체 표준에 등록하였다.

농림축산식품부는 정보통신기술(ICT)이 융복합된 스마트축사 보급과 축산 악취문제 해결에 힘을 모으고 있다.

이러한 정부정책에 힘입어 축산기자재 업계는 2019년을 수출 시장을 넓혀가는 수출 원년의 해로 기대하고 있다. 농식품부는 2019년 스마트 축사 800개소 확대를 위해 713억원 규모 예산을 확보했다.

'스마트 축산 ICT 시범단지 조성사업'에 개소당 15ha 내외로 3개년에 거쳐 62억5000만원을 기반시설(국고 70%, 지방비30%)과 관제 및 교육센터(국고 50%, 지방비 50%)설치를 위해 지원한다. ICT 축사 시설, 퇴 . 액비 공동자원화 시설, 차단방역 시설은 기존 사업을 통해 추가로 지원한다. 사업대상자(시 . 군)선정은 사업추진 여건을 종합적으로 고려해 선정할 계획이다.

시범단지에는 스마트 축사, 악취관리 및 분뇨자원화 시설 등 생산성을 높이면서 축사 악취 및 질병 문제를 해결할 기자재 등이 지원될 예정이다. 광역단위로 악취저감 시설 및 기자재 등을 지원하는 '광역축산악취개선사업'도 2019년 833억원 예산규모로 지난해에 이어 지속 지원될 것이며, 참여지역을 추가 모집할 계획이다.

광역축산악취개선사업은 축산농가의 시설 노후화와 도시민의 귀농귀촌 등으로 날로 증가하는 축산냄새 민원을 해결하고자 지난 2016년부터 시행되고 있는 사업이다. 2016년과 2017년 각 5개 시군이 선정돼 냄새저감시설 설치공사가 진행되고 있는 상황이다. 관련전문가는 "보다 많은 축산농가들이 이 사업에 참여해 고질적인 축산냄새 문제를 해결했으면 한다"며 "올해는 가축사육환경 개선으로 생산성이 크게 향상될 수 있기를 기대한다"고 전했다.

한편, 축산 기자재 수출액은 2017년 기준 약 1,008억원으로 추정되며, 이는 2016년 339억원 대비 약 3배 이상 증가한 수치다. (사)한국축산환경시설기계협회에 따르면 국내 축산기자재 업체 수는 2017년 기준 400여개로 추정되며 70% 이상이 자본금 10억원 미만의 영세업체다. 그동안 업계에선 영세규모 업체 간 저가경쟁이 빈번히 일어났지만 최근에는 협력을 통한 동반 해외 진출 사례가 늘고 있다며 앞으로 지속될 것으로 예상된다.

'제6차 국가정보화 기본계획(2018~2022년)'은 도농격차 해소를 위한 스마트 빌리지 사업 등 농촌의 스마트화를 촉진하는 내용을 포함한 정책으로, 2018년 12월에 발표되었다. 이 계획 4번째 과제인 "누구나 살고 싶은 지역생활 기반 마련"은 도시와 농촌이라는 공간 중심의 스마트화를 과제로 삼고 있으며, 스마트 빌리지 기반 마련을 통해 스마트 농촌 확산을 위한 계획을 구체화하고 있다.

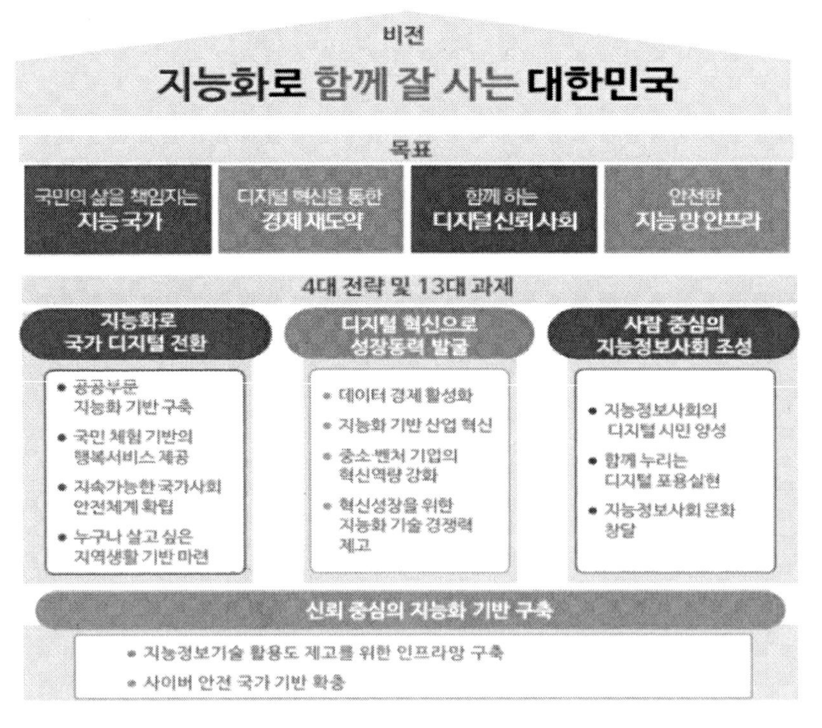

[그림 64] 제6차 국가정보화 기본계획의 비전 및 전략

‘스마트 빌리지 보급 및 확산 사업’은 과학기술정보통신부가 2019년에 시작한 시책으로, 4차 산업혁명 혜택을 농어촌에서 향유할 수 있도록 지능기술을 접목해서 농어촌지역 현안을 해결하고 생활편의를 개선 위한 실증 사업이다. 2019년도 예산은 40억 원으로 최종 선정된 삼척시 근덕면과 무안군 무안읍에 각각 20억 원을 투자했다. 본 사업에서 지원하는 서비스의 예시로는 에너지 통합관리, 지능형 방범, 스마트 가로등, 지능형 기상정보, 무인 농업로봇 및 드론, 지능형 경작관리 서비스 등을 제시하고 있다.

구분	내용
수행기관	스마트 빌리지 대상지역(읍·면)의 지자체와 지능정보기술·서비스 개발 기업으로 구성된 컨소시엄
사업규모	대상지역: 2개 과제(지역) 선정 정부 출연금 규모: 총 3,674백만 원
사업기간	2019년 6월 ~ 12월
지원조건	지자체 및 민간부담금은 총사업비의 25% 이상 매칭
지원내용	마을(읍·면)별 총 4~5개 서비스 모델을 농식품부 농촌중심지활성화 사업 등과 연계하여 공통과 특화 서비스로 구성하여 실증 공통 서비스: 생활편의 서비스 3개 이상 특화 서비스: 생산성 향상·안전강화 서비스 1개 이상 컨소시엄은 서비스 지속 운영을 위해 과제 종료 후 3년간 운영비를 확보
지원근거	「국가정보화기본법」 제15조(공공정보화의 추진), 제16조(지역정보화의 추진), 제23조 2(정보화 선도사업의 추진 및 지원 등)

[표 36] 스마트 빌리지 보급 및 확산 사업의 주요 내용

국회예산정책처는 본 사업이 농가인구 감소 및 고령·독거노인가구 비중 증가와 생활환경의 도농 간 격차 해소를 위한 필요성은 인정되지만, 정부가 지능정보기술을 활용한 다양한 스마트시티 구축사업을 통해 기 개발·보급한 기존 기술을 활용하는 방식을 적극 검토할 필요가 있다고 분석 의견을 제시한바 있다.[45)]

2015년 이후 농림축산식품부 스마트팜 관련사업 예산을 살펴보면, 264억 7백만 원에서 2019년 1,890억 2천 7백만 원으로 전체 사업예산은 크게 증가하였으나 스마트팜 확산사업예산이 전체 사업예산에서 차지하는 비율은 2015년 81.6%에서 2019년 59.2%로 22.4%p감소하였다. 우리나라는 정부 주도의 TOP-DOWN 방식으로 스마트팜 및 농업분야 ICT 융복합 연구와 확산보급사업이 추진되어 민간기업의 정부의 예산 의존률이 높으며, 연구개발 역량 및 제품개발 수준이 높아지지 않고 있다.[46)]

45) 국내외 스마트 농촌 관련 정책동향과 핵심과제 도출, 한국농촌경제연구원(2019.12)
46) 스마트팜 확산·보급 사업 현황과 과제 - 농업분야 ICT 융복합사업을 중심으로, 국회입법조사처, (2019)

대부분의 농업·ICT 융합 기술 개발이 단발성 프로젝트로 진행되어 ICT 융합부품(센서, 제어기, 통신장치 등)의 상호 호환성이 미흡한 수준이며, 센서 등 기반 기자재 B 분야는 해외기업이 국내시장을 장악하여 2세대, 3세대 스마트팜 핵심분야에서도 외국산의 시장 점유율은 점차 증가할 것으로 예측되고 있다.

		2015	2016	2017	2018	2019
스마트팜 혁신밸리 (농림,농특)	스마트팜청년창업보육센터	-	-	-	-	12,190
	임대형스마트팜	-	-	-	-	16,400
	스마트팜실증단지	-	-	-	-	19,227
	원예단기 기반조성(혁신)	-	-	-	7,000	21,000
	소계	-	-	-	7,000 (9.2)	68,817 (36.4)
스마트팜 확산사업 (농림, FTA)	스마트팜ICT융복합확산	10,500	20,600	27,145	8,216	24,769
	과수생산유통 (과수 스마트 팜)	2,200	1,740	1,740	1,740	920
	축사시설현대화 (축사 스마트팜)	8,855	20,020	26,890	49,800	79,169
	축사 스마트팜(ICT보급)	8,855	20,020	26,890	49,800	71,294
	스마트축산 ICT시범단지조성	-	-	-	-	7,875
	원예단지 기반조성(일반)	-	-	3,500	3,500	7,000
	소계	21,555 (81.6)	42,360 (90.4)	59,275 (90.9)	63,256 (83.1)	111,858 (59.2)
스마트팜 시범사업 (농림, 농특)	수직형농장 시범사업	-	-	644	744	-
	노지 스마트농업 시범사업	-	-	-	1,100	3,000
	소계	-	-	644 (1.0)	1,844 (2.4)	3,000 (1.6)
스마트팜 지원사업 (정보화, 농특)	농식품 ICT 융복합 촉진	3,052	3,052	3,052	1,632	1,982
	농업정보이용활성화 - ICT 융복합 지원	1,800	1,450	1,410	1,410	1,410
	농업농촌 교육지원 (스마트팜 확산지원)	-	-	810	960	1,960
	소계	4,852 (8.4)	4,502 (9.6)	5,272 (8.1)	4,002 (5.3)	5,352 (2.8)
합계		26,407 (100.0)	46,862 (100.0)	65,191 (100.0)	76,102 (100.0)	189,027 (100.0)

[표 37] 농림축산식품부의 스마트팜 관련 예산 추이(2015~2019) (단위: 백만 원(%))

05 스마트 팜 관련 제품 및 특허

5. 스마트 팜 관련 제품 및 특허

가. 스마트 팜 관련 제품

1) 팜시스

제품명	팜시스	회사명	(주) 우성하이텍
요약	스마트 팜 솔루션		
소개	첨단 ICT 융·복합 기술이 들어 있는 시설원예 통합 환경제어 시스템입니다. 팜시스 시스템을 통제하는 소프트웨어는 다양하게 변하는 환경 속에서 재배작물이 항상 최고의 컨디션을 유지할 수 있도록 재배 환경을 제어하며 데이터를 저장하는 등의 다양한 기능을 갖추고 있습니다. 또한 스마트폰·PC를 이용하여 확인 조회 할 수 있도록 편리한 기능을 가지고 있다.		

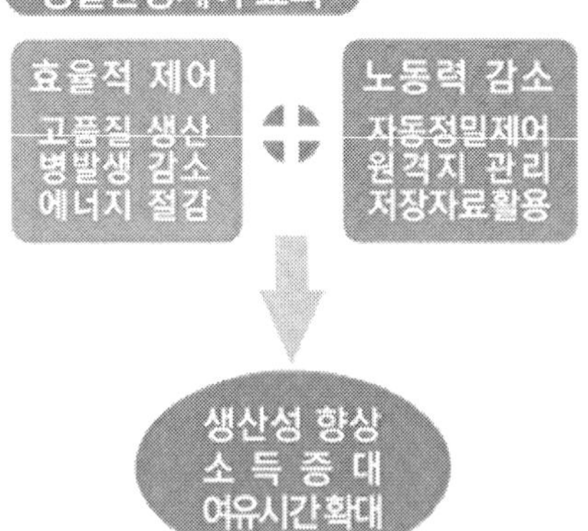

2) 팜링크

제품명	팜링크	회사명	(주) 유비엔
요약	분산처리형 클라우드 스마트팜 시스템		
소개	기존의 스마트팜과 달리 IoT기술을 접목하고, 분산처리 방식을 도입한 클라우드 기반의 새롭고 혁신적인 스마트 팜 시스템이다. 특징은 ①이동성 및 확장성 용이하여 환경에 따라 이동 및 확장이 용이하도록 운용 가능하도록 되어 있으며, ②분산처리 방식의 스마트팜 솔루션으로 메인 컨트롤러가 문제가 생기더라도 개별적으로 제어 및 모니터링이 가능하고, ③클라우드 기반의 스마트팜으로 로컬 PC없이 클라우드 서버로 전송이 가능하다. ④원격 업데이트 기능과 보안성이 뛰어나서 외부 침입을 원천 봉쇄한다.		

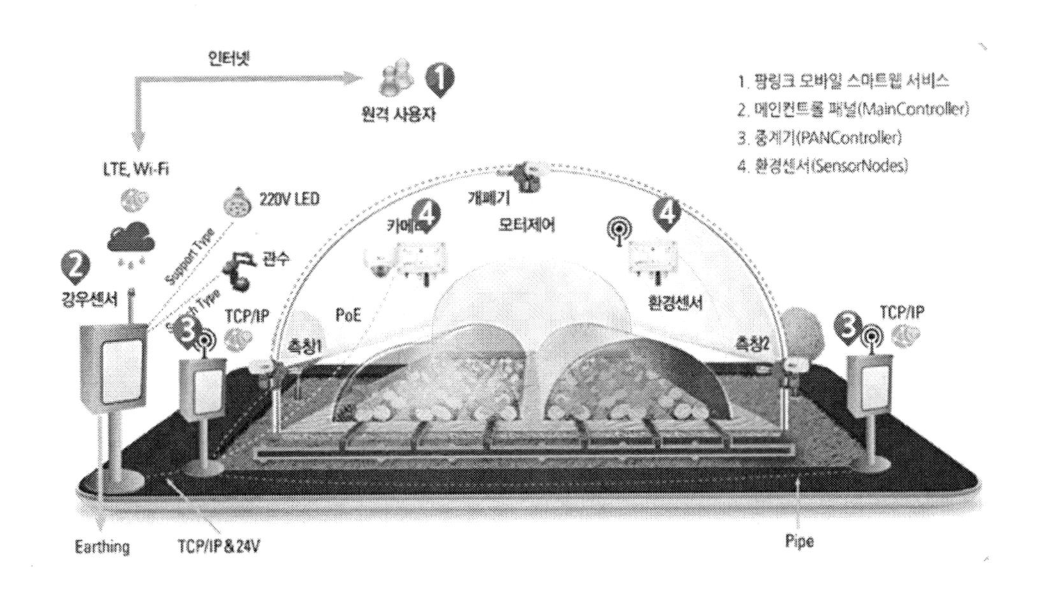

3) 스마트팜 반딧불이

제품명	스마트 팜 반딧불이	회사명	(주) 나래트랜드
요약	첨단ICT 기술로 편리하게 비닐하우스를 관리할 수 있는 원격 환경제어 시스템		
소개	스마트 팜 반딧불이는 보급형과 복합형으로 분리 되어 있는 시스템으로, 복합 환경제어 시스템은 ICT기술을 접목하여 여러 센서로부터 얻어진 정보를 컨트롤러가 분석하여 작물에 따라 알맞은 생육환경으로 제어장치들이 자동으로 조절되어 최적의 환경을 유지할 수 있도록 해주며, 관수, 관비, 양액 제어도 가능하며, 스마트폰으로 원격제어 모니터링도 가능하다.		

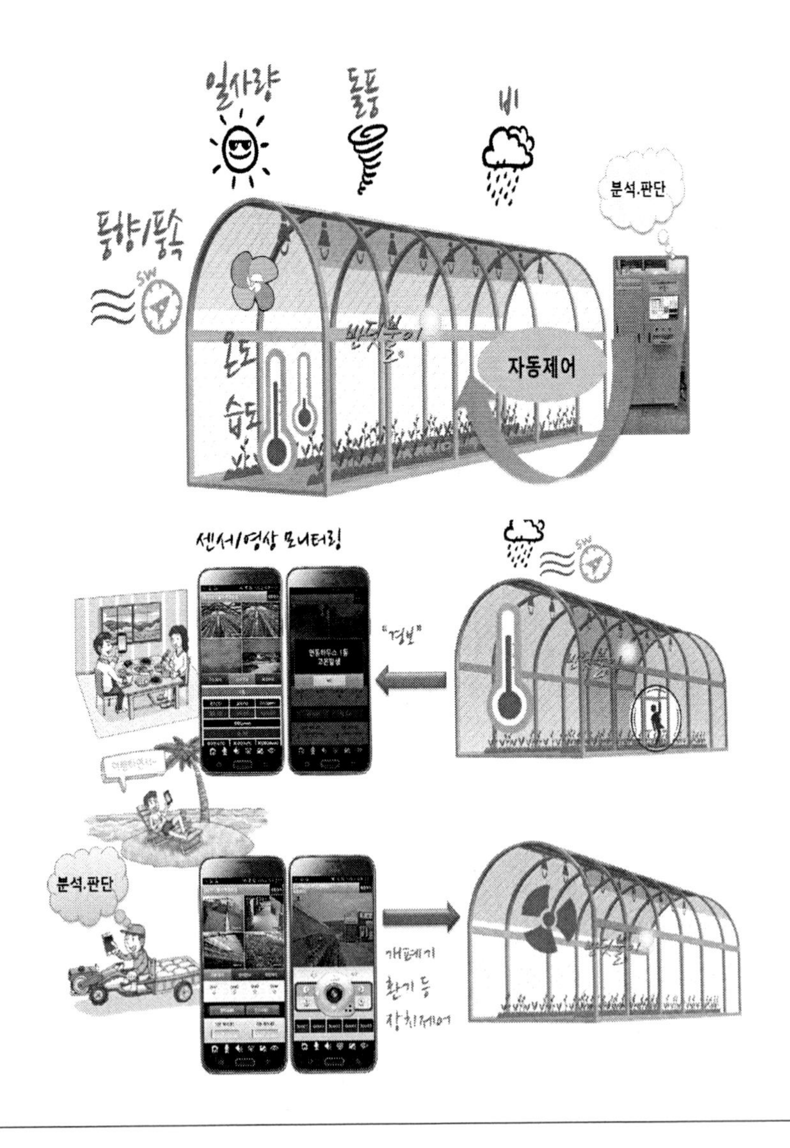

4) 토지스

제품명	스마트 팜 토지스	회사명	(주) 토지스
요약	정보통신기술(ICT)을 결합해 만든 지능화된 농장		
소개	토지스는 부동산에 ICT, IoT를 이용한 다양한 사업을 하며, 생육과 환경에 관련된 데이터를 포함한 빅 데이터를 활용하여 농업인에게 생육관리, 진단 및 처방, 경영관리, 마케팅 등의 정보를 제공하고 데이터를 활용하여 교육과 컨설팅을 도와준다. 산업체에게는 시스템과 제품규격 표준화로 산업체간 협력 활성화와 수출산업을 육성하고 있다.		

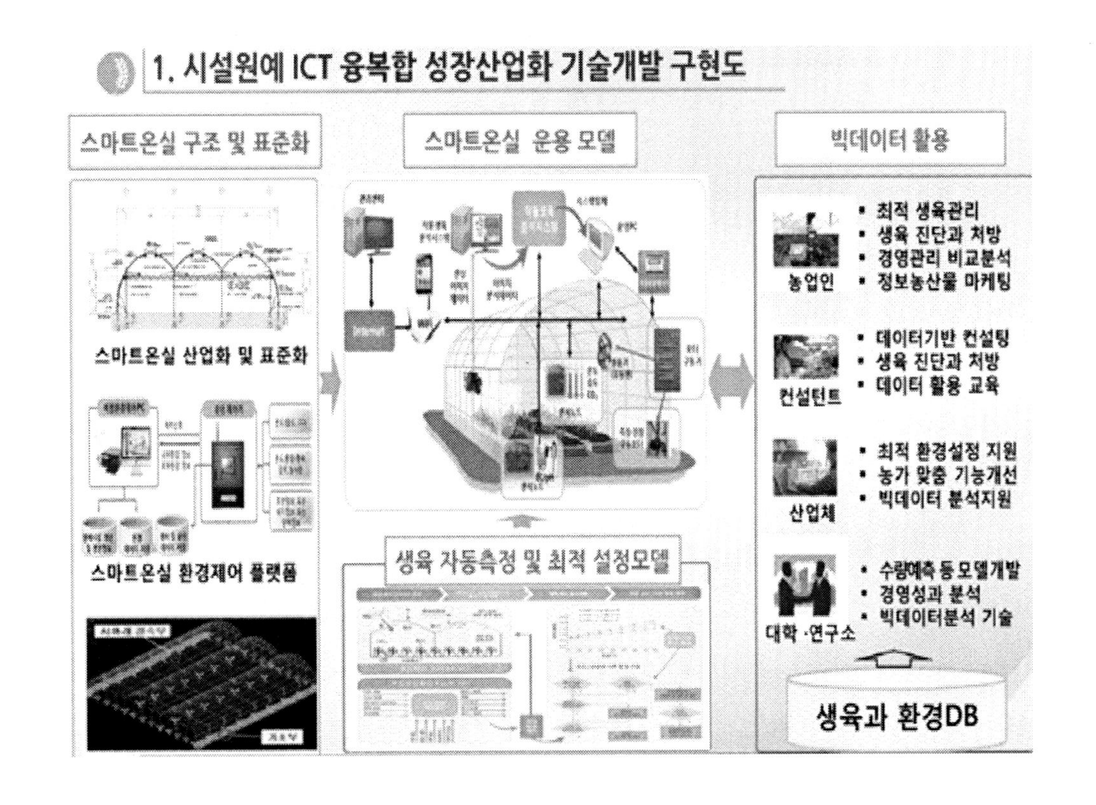

5) 팜모닝

제품명	팜모닝	회사명	그린랩스
요약	정보통신기술(ICT)을 결합해 만든 지능화된 농장		
소개	팜모닝은 작물 생육 모니터링부터 농장 환경 원격 제어까지 스마트폰 앱 하나로 할 수 있는 솔루션으로 센서를 활용해 농장의 온도와 습도를 파악하고, 외부 환경 정보와 작물 생육 정보를 통합 분석해 작물이 자라기에 가장 좋은 환경을 제시해준다. 또한, 갑작스러운 폭염이나 폭우가 발생한 경우 스마트폰 앱으로 알람을 제공한다.		

6) 코코팜

제품명	코코팜	회사명	이모션
요약	양계 전용 스마트 팜		
소개	양계 전용 스마트 팜 '코코팜(kokofarm)'은 가금류 생체 및 환경정보를 실시간 측정하는 장비와 빅데이터 분석 알고리즘으로 구성돼 있다. 양계 중량을 비롯 계사 온도·습도·이산화탄소 등을 실시간 정밀 측정·분석할 수 있다. 이를 토대로 '정상·주위·위험·경보' 등 4단계 알람서비스를 통해 닭과 병아리 등의 효과적인 관리가 가능하다. 닭 평균 중량을 산출해 출하시기를 정확히 예측해 생산성을 높이고 노동력을 줄일 수 있다.		

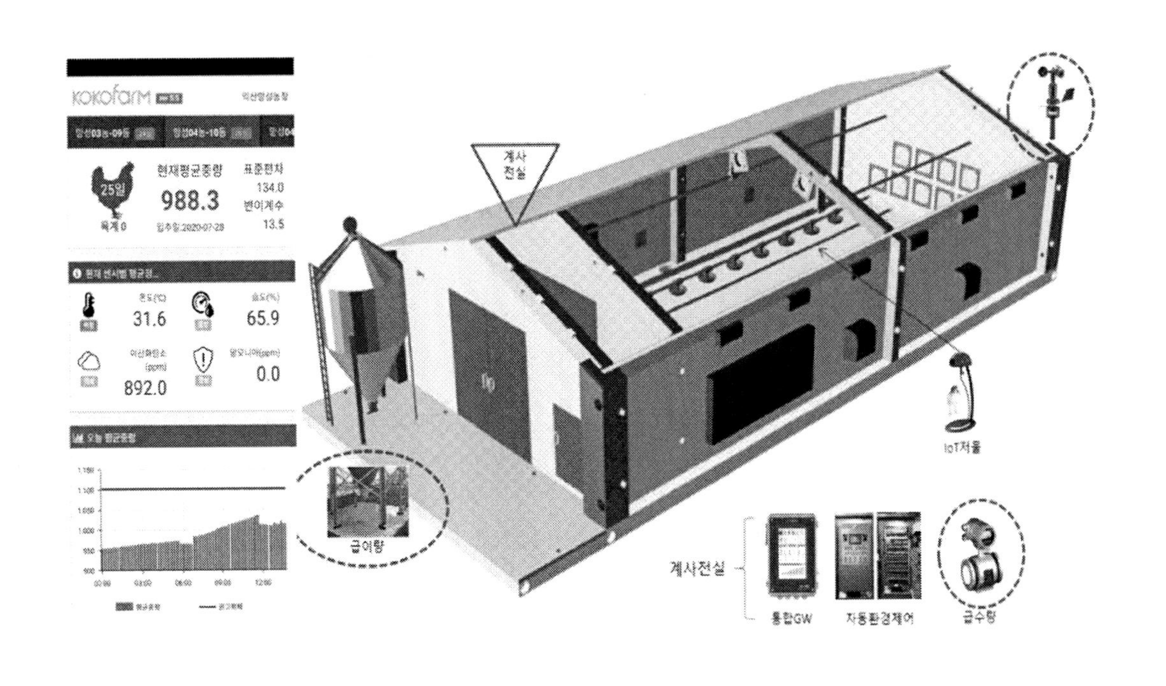

나. 스마트 팜 관련 특허

1) 직렬연결구조의 스마트팜 수경 재배 시스템

특허명	직렬연결구조의 스마트팜 수경 재배 시스템	출원번호	1020200081930
출원일자	2020.07.03	출원인	주식회사 나청메이커앤드론
소개	본 발명은 직렬연결구조의 스마트팜 수경 재배 시스템에 관한 것으로서, 양측에서 일정 높이를 이격하여 구비되고, 격벽에 의해 양액의 유동 방향이 전환되도록 하는 복수의 관 연결구; 동일 수직선상에 위치하는 상기 관 연결구간을 일정 높이로 이격되도록 연결하면서 최 상단측의 양측의 관 연결구의 상단부간이 연결되도록 하고, 최 하단측의 각 관 연결구에서 하부로 일정 높이로 구비되면서 하단부에는 설치면에 안치되도록 받침판이 연결되도록 하는 가이드관; 동일 수평선상에 구비되는 관 연결구간으로 양단부가 연결되고, 상부면에는 일정 길이마다 작물 배지가 삽입되는 배지 삽입홀이 형성되도록 하며, 내부에는 일정량의 양액이 수용되어 일방향으로 유동하도록 구비되는 원통형의 재배관; 상기 재배관의 양단부에 연결되면서 하향 편심되게 일정 직경의 양액 유동홀이 형성되도록 하며, 상기 재배관의 입구측에는 상부로 인출입이 가능하도록 하면서 판면에는 양액의 공급량을 조절하도록 양액 조절홀을 형성하는 양액 조절판이 구비되는 재배관 연결구; 설치면에 구비되는 양액수조로부터 펌핑되는 양액이 유동하도록 하면서 일측의 가이드관과 관 연결구를 관통하여 상단측 가이드관을 통해 타측 상단의 관 연결구 상부에까지 관설되는 양액 공급호스; 동일 수직선상에 구비되면서 양액이 하향 이동하는 상하부의 관 연결구간 가이드관의 내부에서 상부측 관 연결구로부터 하향 돌출되게 형성된 유출구에 상단이 압입 결합되고, 하단부는 하부측 관 연결구에서 일정 높이로 채워지는 양액의 내부에 잠기도록 하는 양액 낙수용 호스의 결합으로 이루어지는 구성이다.		

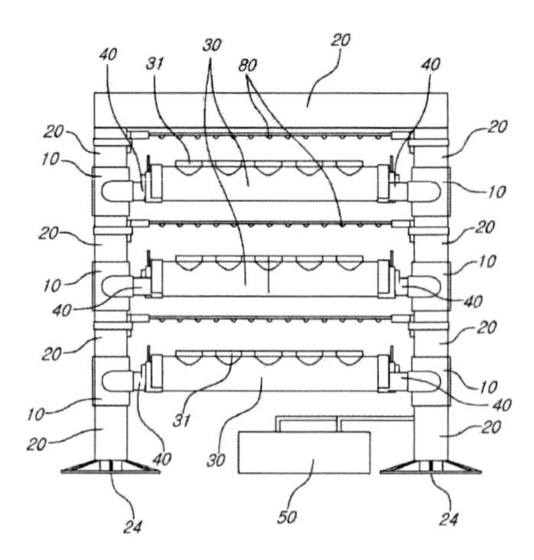

2) 스마트팜 제어 시스템

특허명	스마트팜 제어 시스템	출원번호	1020180137206
출원일자	2018.11.09	출원인	(주)큐디
소개	본 발명은, 차광장치, 급수장치, 환기장치, 온도조절장치, 습도조절장치, 산소 농도조절장치 및 양액공급장치를 포함하는 시설물 장치가 설치되고, 밀폐된 공간에서 농작물을 재배하는 농작물 재배시설, 상기 농작물 재배시설의 내부에서 검출한 온도값, 습도값, 산소 농도값, 이산화탄소 농도값, 조도값, 상기 농작물에 공급되는 양액의 공급속도값 및 공급양값이 상기 농작물 재배시설의 내부를 설정된 시간 스케줄 정보에 따른 기준 온도값, 기준 습도값, 기준 산소 농도값, 기준 이산화탄소 농도값, 기준 조도값, 상기 양액의 기준 공급속도값 및 기준 공급양값을 만족하면, 상기 스간 스케줄 정보에 따른 기준 제어명령을 상기 시설물 장치로 출력하여 제어하는 IOT 제어장치 및 상기 IOT 제어장치에 상기 시간 스케줄 정보를 설정하고, 상기 IOT 제어장치에서 검출한 상기 온도값, 상기 습도값, 상기 산소 농도값, 상기 이산화탄소 농도값, 상기 조도값, 상기 양액의 공급속도값 및 공급양값과, 상기 기준 제어명령을 수신하여 상기 농작물 재배시설을 모니터링하는 모니터링 장치를 포함하는 스마트팜 제어 시스템을 제공한다.		

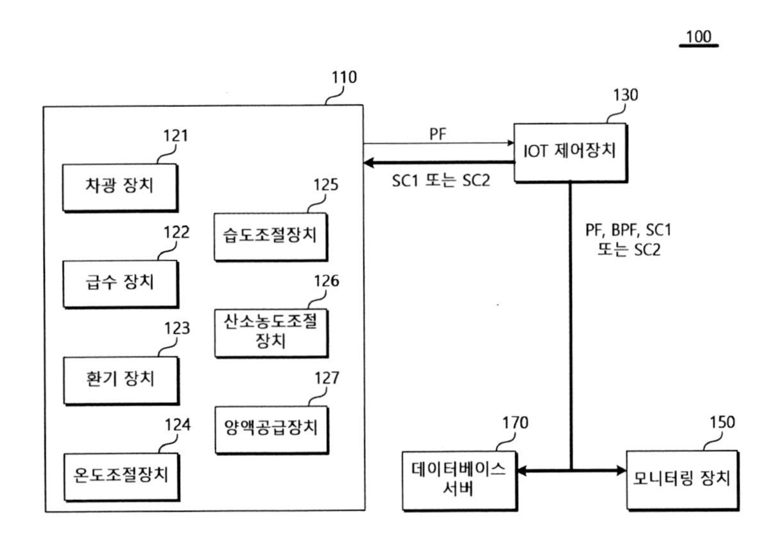

3) 실리콘 LED 램프를 이용한 IoT제어 스마트팜 시스템

특허명	실리콘 LED 램프를 이용한 IoT제어 스마트팜 시스템	출원번호	1020200142055
출원일자	2020.10.29	출원인	주식회사 아이엘사이언스
소개	본 발명은 실리콘 LED 램프를 이용한 IoT 스마트팜 시스템에 관한 것이다. 본 발명에 따르면, 실리콘 LED 램프를 이용한 IoT 스마트팜 시스템에 있어서, 작물 재배기의 상단 부분에 설치되며, 배양중인 식물 방향으로 빛을 조사하는 복수의 실리콘 LED 램프, 상기 작물 재배기의 상단 부분에 설치되며, 상기 배양중인 식물의 성장상태를 측정하는 적외선 센서, 그리고 상기 작물 재배기의 배양 공간을 가상의 복수의 구역으로 분류하고, 상기 측정된 식물의 성장상태에 따라 상기 실리콘 LED 램프의 파장 또는 상기 작물 재배기 내부의 습도를 조절하는 유무선 IoT제어모듈을 포함한다. 이와 같이 본 발명에 따르면, 실리콘 렌즈를 통해 LED 파장을 극대화할 수 있어, 식물생장 속도를 증가시킬 수 있으며, 하나의 식물 재배기에서 복수의 식물을 재배시킬 수 있다.		

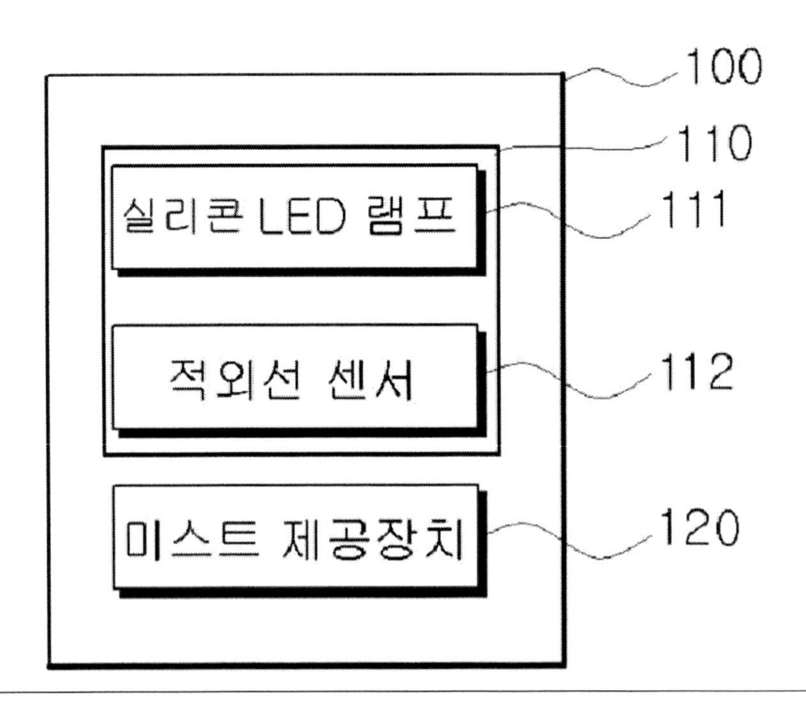

4) 스마트팜 작물 자동화 재배 장치

특허명	스마트팜 작물 자동화 재배 장치	출원번호	1020190132437
출원일자	2019.10.23	출원인	이정현
소개	본 발명은 스마트팜 작물 자동화 재배 장치에 관한 것으로, 더욱 구체적으로는 작업자가 리프트에 위치한 상태에서 작물이 생육되는 트레이가 적재된 복수개의 랙들이 이동구간부를 통해 순차적으로 거치작업부로 이송되어 거치된 후 상하 승강하는 리프트에 위치한 작업자가 작물에 대한 작업을 완료하면 푸쉬장치에 의해 순차적으로 이동구간부로 다시 진입되는 방식으로 랙들이 순환 이동하여 작업자가 고정된 작업영역에 위치한 상태에서 편리하게 작물에 대한 작업을 수행할 수 있어 작업의 편리성과 생산성을 향상시킬 수 있는 스마트팜 작물 자동화 재배 장치에 관한 것이다.		

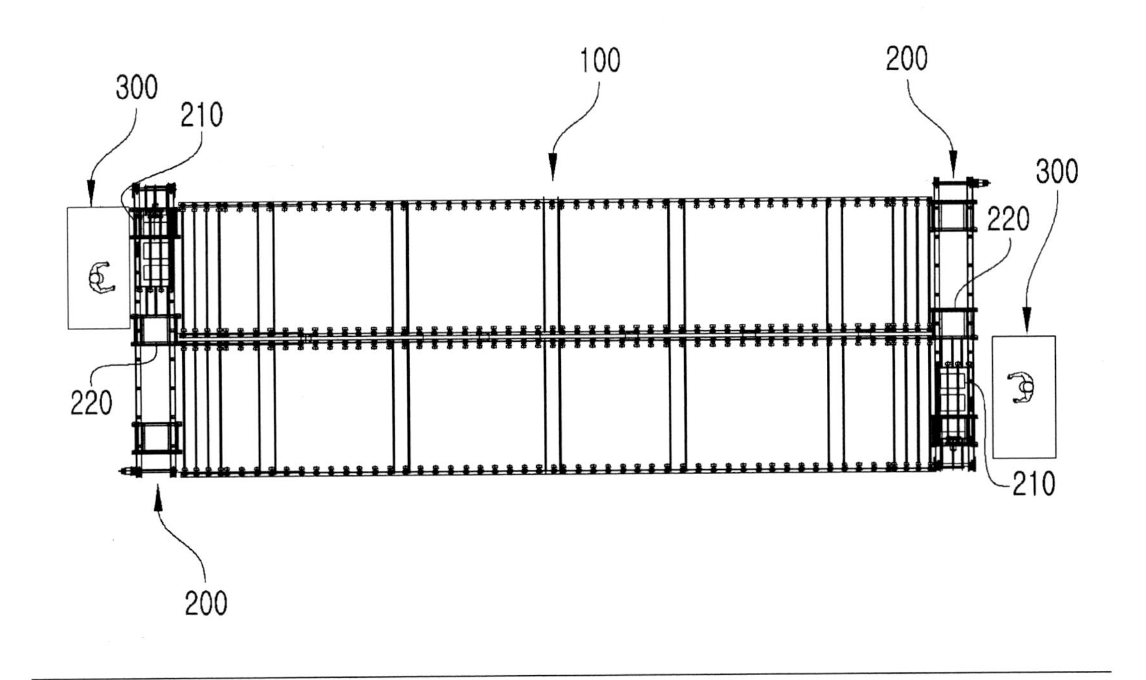

5) 복합 제어 스마트팜 시스템

특허명	복합 제어 스마트팜 시스템	출원번호	1020200137536
출원일자	2020.10.22	출원인	변종기
소개	본 발명은 복합 제어 스마트팜 시스템에 관한 것이다. 본 발명에 따른 복합 제어 스마트팜 시스템은 스마트팜 운영에 필요한 장치 및 센서로 구성되며, 장치 구역 및 센서 구역으로 독립적으로 분리되는 MCU 클라이언트 및 MCU 클라이언트에 대한 통합 관리를 수행하는 웹 서버를 포함한다.		

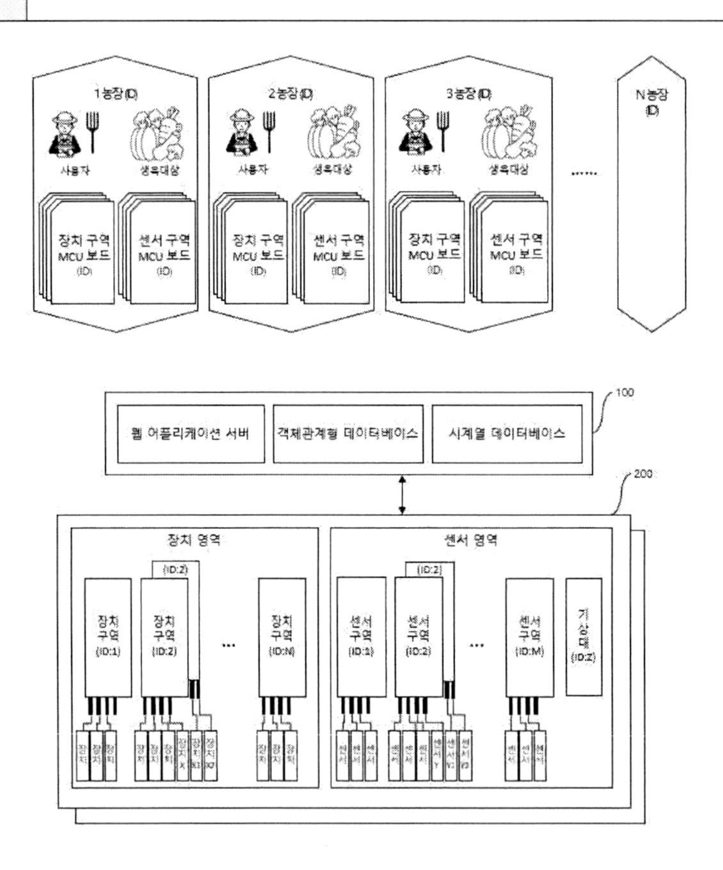

6) 학습 데이터를 기반으로 자동재배 데이터를 제공할 수 있는 스마트팜 복합환경 제어시스템

특허명	학습 데이터를 기반으로 자동재배 데이터를 제공할 수 있는 스마트팜 복합환경 제어시스템	**출원번호**	1020190092258
출원일자	2019.07.30	**출원인**	월드시스템주식회사
소개	학습 데이터를 기반으로 자동재배 데이터를 제공할 수 있는 스마트팜 복합환경 제어시스템은, 미리 설정된 전문가풀에 의한 수동재배 데이터를 제공하다가 소정의 범위 이상의 학습 데이터가 축적되는 시점부터 상기 학습 데이터를 기반으로한 자동재배 데이터를 제공하는 원격재배 컨설팅 시스템과, 상기 수동재배 데이터 및 상기 자동재배 데이터를 토대로 식물의 생육환경을 제어하는 자동화 제어 시스템과, 상기 식물의 생육상태를 모니터하며, 모니터링 데이터를 상기 원격재배 컨설팅 시스템 및 상기 자동화 제어 시스템 중 적어도 어느 하나 이상에 제공하는 생육분석 시스템을 포함하는 것을 특징으로 한다.		

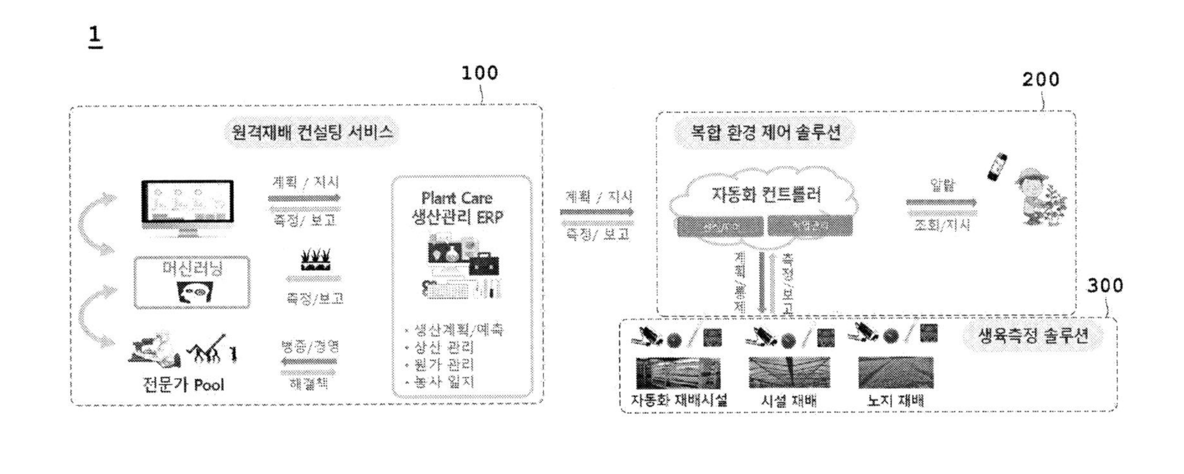

7) 노지용 스마트팜 제어 시스템 및 방법과 이를 위한 컴퓨터 프로그램

특허명	노지용 스마트팜 제어 시스템 및 방법과 이를 위한 컴퓨터 프로그램	출원번호	1020200055941
출원일자	2020.05.11	출원인	(주)오리오르
소개	노지(露地)용 스마트팜(smart farm) 제어 시스템은, 스마트팜의 미리 설정된 관리 지역에 위치한 하나 이상의 센서 노드 장치에 의해 수집된 센서 데이터를 상기 관리 지역에 상응하는 게이트웨이(gateway) 장치로부터 수신하도록 구성된 데이터베이스 서버; 상기 데이터베이스 서버에 저장된 상기 센서 데이터를 분석하여 분석 정보를 생성하도록 구성된 분석 서버; 및 상기 분석 정보를 상기 스마트팜의 사용자의 사용자 장치에서 확인할 수 있도록 상기 사용자 장치에 제공하도록 구성된 웹 서비스 서버를 포함할 수 있다. 상기 데이터베이스 서버는, 상기 게이트웨이 장치로부터 수신된 상기 센서 데이터를 구독(subscribe) 방식으로 선택적으로 수집하여 저장하도록 구성된 시계열 데이터베이스를 포함한다. 상기 시스템에 의하면, 스마트팜의 각 지역별로 구비된 게이트웨이 장치를 통해 지역별 관제를 실현할 수 있고, 구독 방식의 시계열 데이터베이스 관리를 통하여 효율적인 스마트팜 제어가 실현될 수 있고 서버의 부하를 줄일 수 있는 이점이 있다.		

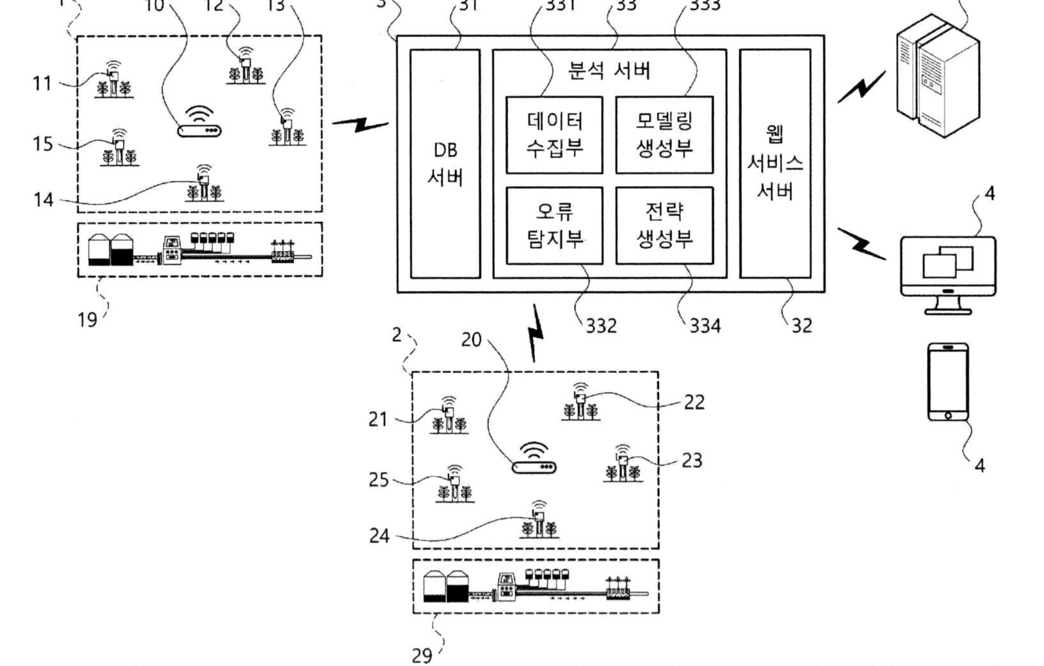

8) 스마트팜 재배이력을 이용한 스마트팜 재배시스템

특허명	스마트팜 재배이력을 이용한 스마트팜 재배시스템	출원번호	1020180125593
출원일자	2018.10.20	출원인	주식회사 지농
소개	기존의 스마트팜의 재배방법은 식물의 생육모델링을 하고, 이 모델링을 바탕으로 스마트팜의 환경을 제어하여 최적의 생육환경을 만들고, 품질이 좋은 농산물을 만드는 것을 기본으로 하고 있으나, 작물의 최적 생육모델을 만드는 것이 쉽지 않기 때문에 이러한 기술을 일반 농민이 이용하는데 한계가 있어왔다. 본 발명은 상기와 같은 문제를 해결하기 위하여, 각 스마트팜 농가의 재배지역 위치 및 재배면적, 스마트팜의 형태, 재배작물, 스마트팜 실내의 재배환경정보 및 스마트팜 외부의 기후정보를 습득하여 스마트팜 농가 DB를 만들고 이를 제공함으로써 사용자 농가에서 자신의 재배 조건과 유사한 농가를 검색하고 이들 농가의 재배이력을 공유하여 사용할 수 있도록 하는 방법을 제공한다. 이러한 수단에 의하여 재배정보를 구할 수 없는 초보 농민에게 자식의 정보를 입력하는 것만으로 유사하거나 동일한 재배지역과 재배 농가를 찾을 수 있고, 이를 온라인으로 재배 정보 이력을 살펴볼 수 있도록 하고, 아울러 생산된 생산량과 품질을 보고, 재배이력을 이용하여 재배할 것인지 아닌지를 판단할 수 있는 수단을 제공한다.		

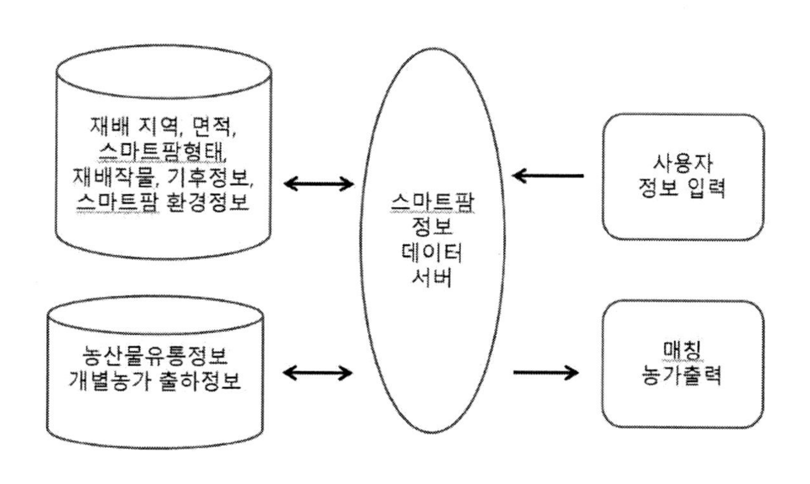

9) 스마트팜 제어장치

특허명	스마트팜 제어장치	출원번호	1020210026020
출원일자	2021.02.25	출원인	김천풍
소개	본 발명은 스마트팜을 제어하는 장치에 관한 것으로, 더욱 상세하게는 메인 소프트웨어 및 외부장치로부터 수신된 정보를 바탕으로 제어신호를 생성하고, 생성된 제어신호에 따라 개폐모터, 전자밸브, 팬, 조명, 펌프, 관수설비 및 기타 장치를 제어하며, 제어를 수행한 결과에 대한 데이터를 상기 메인 소프트웨어 및 외부장치로 송신하는 것을 특징으로 하는 스마트팜 제어장치에 관한 것이다.		

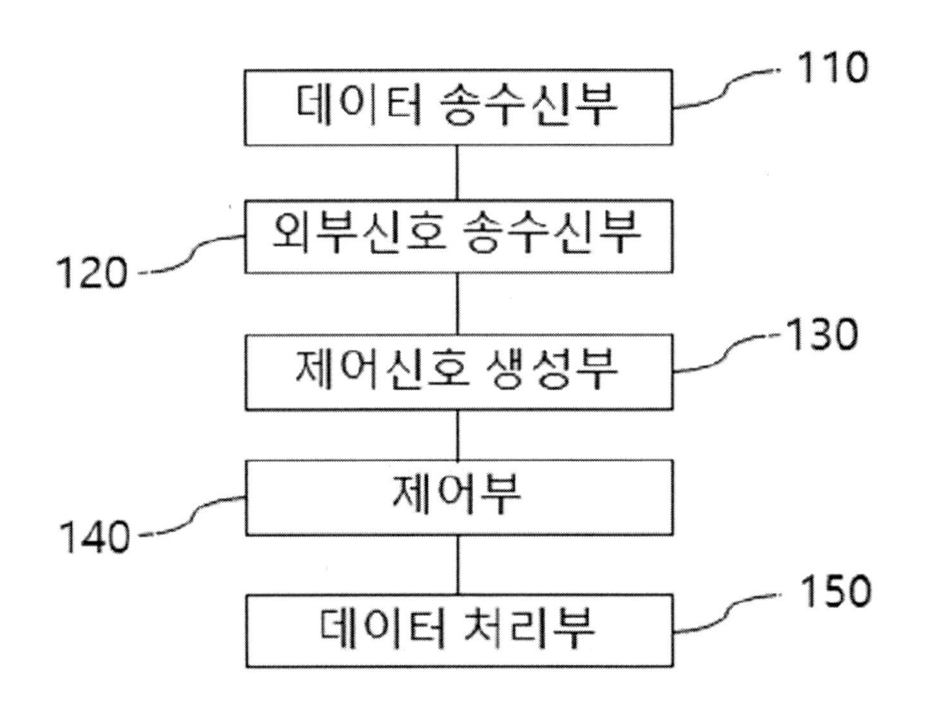

10) 온라인 유통과 연계 가능한 스마트팜 통합 관리 시스템

특허명	온라인 유통과 연계 가능한 스마트팜 통합 관리 시스템	출원번호	1020190031984
출원일자	2019.03.20	출원인	농업회사법인 한라에스디주식회사
소개	본 발명은 하우스 내부에 대한 온도, 습도 등 환경정보는 물론 설비의 이상 유무를 모니터링하면서 문제 발생 시 경보신호를 출력하여 관리자가 인지하도록 하며, 원격에서 하우스의 환경과 장비 등을 제어할 수 있을 뿐 아니라 생장 작물에 대한 이력과 영상을 제공할 수 있는 온라인 유통과 연계 가능한 스마트팜 통합 관리 시스템에 관한 것으로, 상세하게는, 내부공간이 마련되고 상기 내부공간에서 작물 재배를 위한 생장 환경을 조성하는 하우스시설; 상기 하우스시설의 온도, 습도를 포함한 환경정보를 계측하고 계측데이터를 출력하는 계측부; 상기 계측부에서 출력되는 계측데이터를 수집 및 저장하고 상기 계측데이터를 기반으로 분석되는 실시간 환경정보를 모니터링하는 관리서버; 및 상기 관리서버에 유무선 통신망을 이용하여 접속하며 상기 관리서버에서 모니터링되는 정보를 표시하는 사용자단말;을 포함하는 것이 특징이다.		

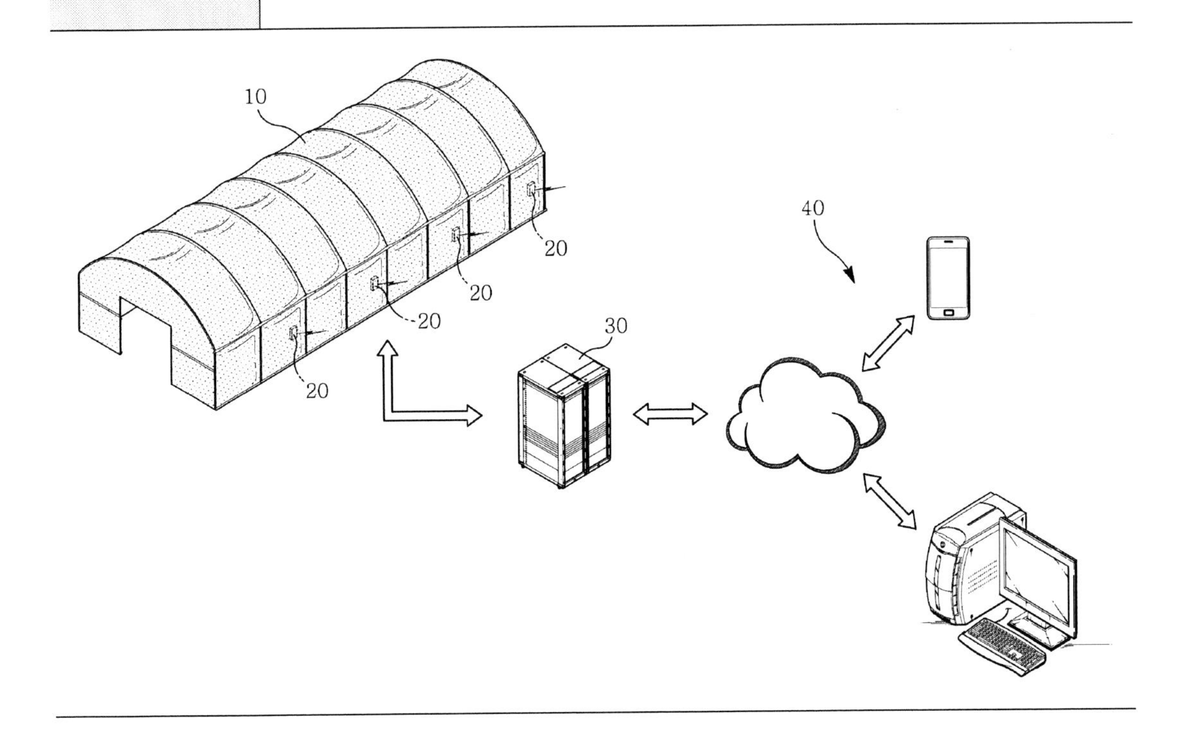

11) 곤충 사육을 위한 스마트팜 시스템 및 운용방법

특허명	곤충 사육을 위한 스마트팜 시스템 및 운용방법	출원번호	1020190012264
출원일자	2019.01.30	출원인	주식회사 반달소프트
소개	본 발명은 곤충 사육을 위한 스마트팜 시스템 및 운용방법에 관한 것이다. 본 발명은 이를 위해 적어도 하나 이상의 곤충사육장치(100); 곤충사육장치(100)에 구비되며, 곤충의 성장환경을 실시간 감지하여 성장에 효율을 극대화시킨 데이터베이스를 토대로 곤충이 성장하는데 특정 목적으로 가장 잘 성장하기 위한 환경을 제공해주는 스마트팜 시스템(200); 스마트팜 시스템(200)과 유,무선으로 연결되어 데이터를 주고받고, 학습기계와 데이터베이스가 포함된 서버(300); 및 스마트팜 시스템(200) 또는 서버(300)를 외부에서 실시간 제어하는 단말기(400);가 포함된다. 상기와 같이 구성된 본 발명은 식용 곤충의 성장환경을 감지하여 성장에 효율을 극대화시킨 데이터베이스를 토대로 빛과 물 등을 제공함으로써 식용 곤충이 성장하는데 특정 목적으로 가장 잘 성장하기 위한 환경을 제공하게 되고, 이로 인해 스마트팜 시스템의 품질과 신뢰성을 대폭 향상시키므로 사용자인 소비자들의 다양한 욕구(니즈)를 충족시켜 좋은 이미지를 심어줄 수 있도록 한 것이다.		

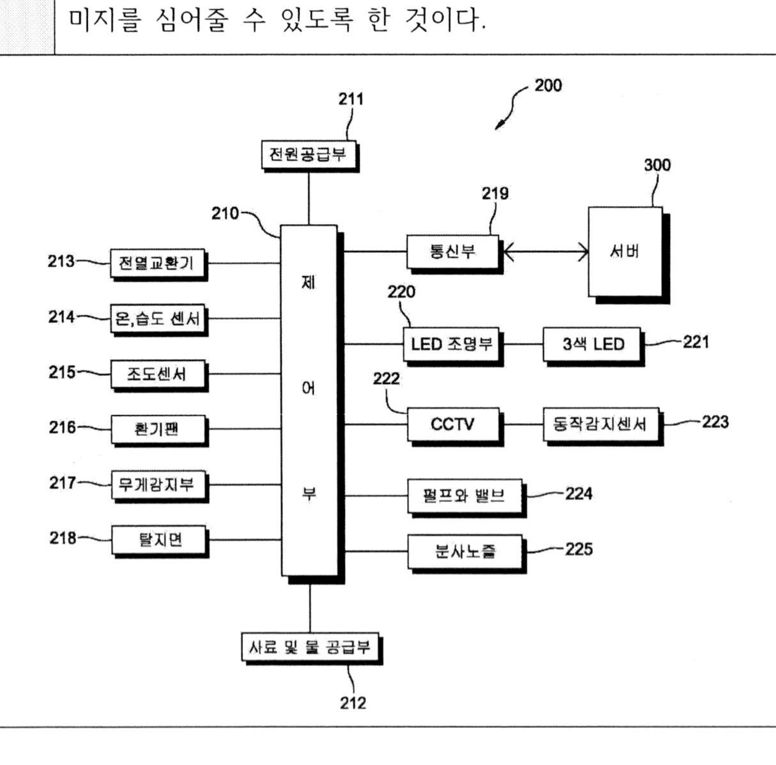

12) 열병합 발전기가 구비된 스마트팜 및 그 열병합 발전기

특허명	열병합 발전기가 구비된 스마트팜 및 그 열병합 발전기	출원번호	1020200092250
출원일자	2020.07.24	출원인	㈜한국에너지기술단
소개	본 발명은 스마트 하우스에 설치되는 열병합 발전기가 가스터빈을 구동시켜 전기를 생산할 뿐 아니라 연소기에 장착된 알칼리금속 열전기 변환장치(AMTEC)를 통해서도 전기를 생산하며, 난방과 함께 냉방까지 공급할 수 있도록 가스터빈 기관이 구성되어 있는 열병합 발전기가 구비된 스마트팜에 관한 것으로, 스마트 하우스에 열병합 발전기가 구비되어 있고, 상기 열병합 발전기는 스마트팜에서 요구되는 전기 발전, 난방 및 냉방 공급이 가능하도록 공기 압축기와 연소기 및 상기 공기 압축기에 연결되는 메인 가스터빈, 인터쿨러 및 공기 압축기에 선택적으로 연결되는 보조 가스터빈을 포함하고 있다.		

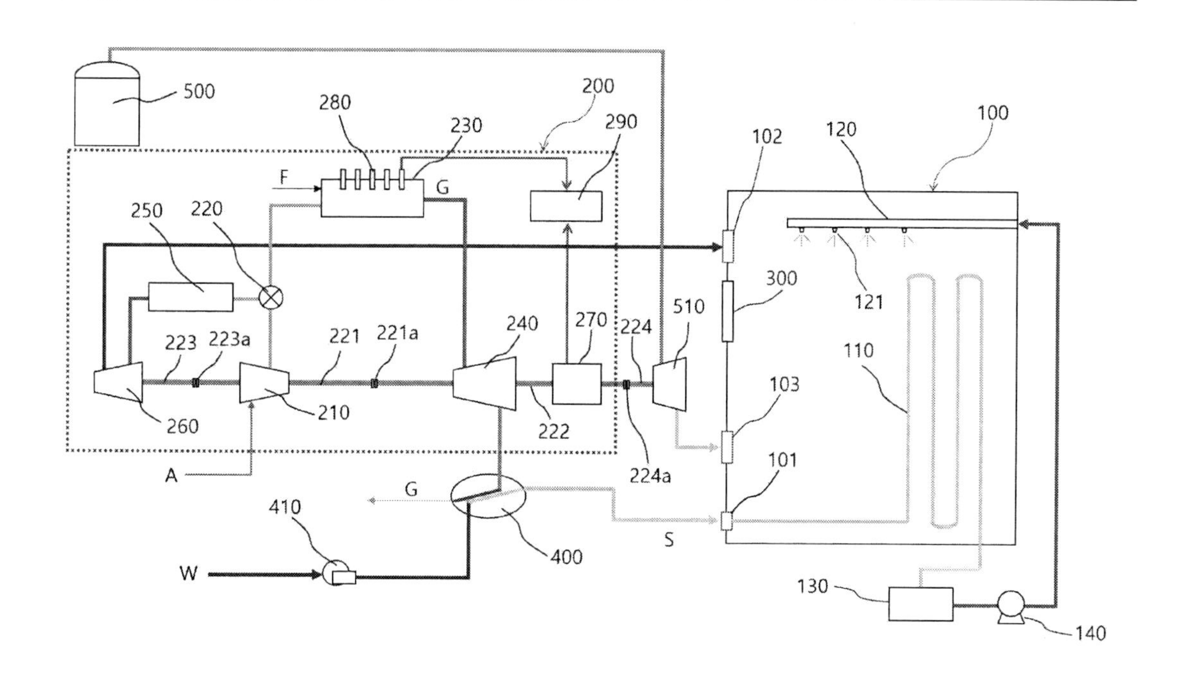

13) 태양광 모듈을 접목한 스마트팜

특허명	태양광 모듈을 접목한 스마트팜	출원번호	1020190102470
출원일자	2019.08.21	출원인	썬웨이 주식회사
소개	본 기술은 태양광 모듈을 접목한 스마트팜에 관한 것으로서, 보다 상세히, 태양광을 에너지원으로 사용하는 태양광 모듈 및 이를 적용한 스마트팜에 관한 기술이다.		

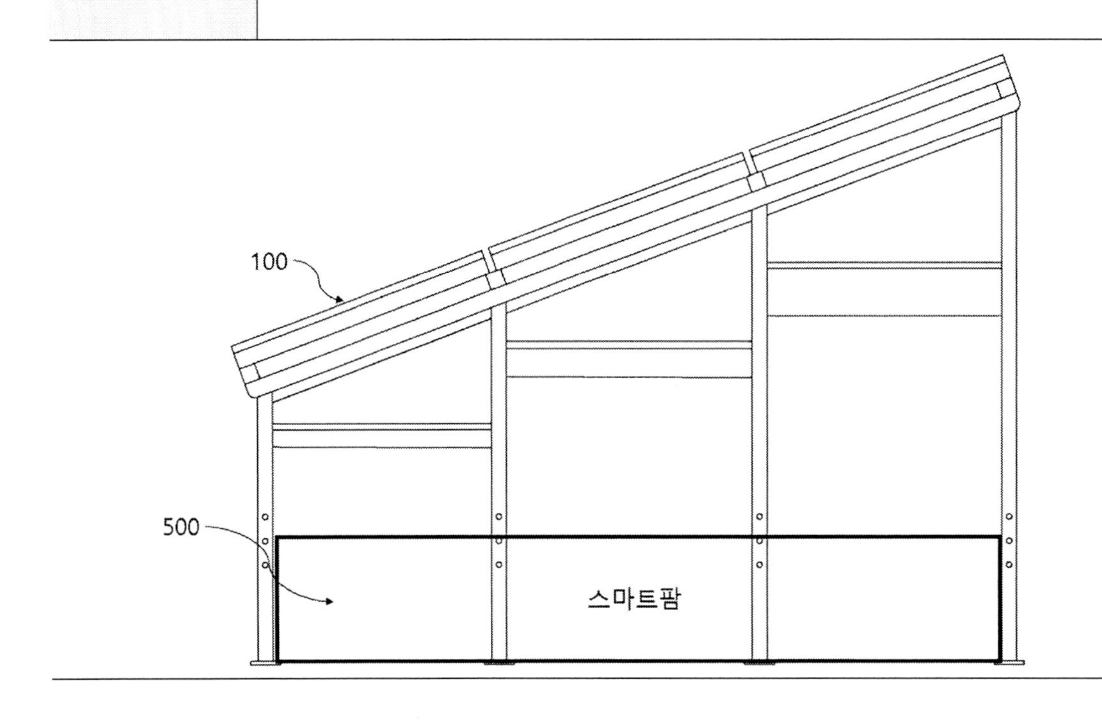

06 스마트 팜 시장

6. 스마트 팜 시장

가. 세계 스마트 팜 시장[47)]

세계 스마트팜 시장은 2017년 63억 3,700만 달러 규모이며, 이후 연평균 13.44%의 성장률을 보이며 2023년에는 135억 400만 달러에 달할 전망이다. 지역별로는 2017년 기준 미주 지역이 27억 9,600만 달러로 전체 시장의 44.1%를 차지하였으며, 뒤를 이어 유럽 19억 3,700만 달러(30.6%), 아시아태평양 12억 300만 달러(19.0%) 순의 점유율을 보였다.

1980년대 중반 미국에서 정밀농업이 등장한 이래로 미국과 캐나다는 농업 선진화가 빠르게 이루어졌으며, 대규모 기업형 농장을 중심으로 스마트팜의 주요 시장을 차지하고 있다. 향후 인구가 빠르게 증가하고 있는 인도, 중국, 동남아시아가 속한 아시아태평양 지역이 18.02%로 가장 높은 성장률을 보일 것으로 전망된다.

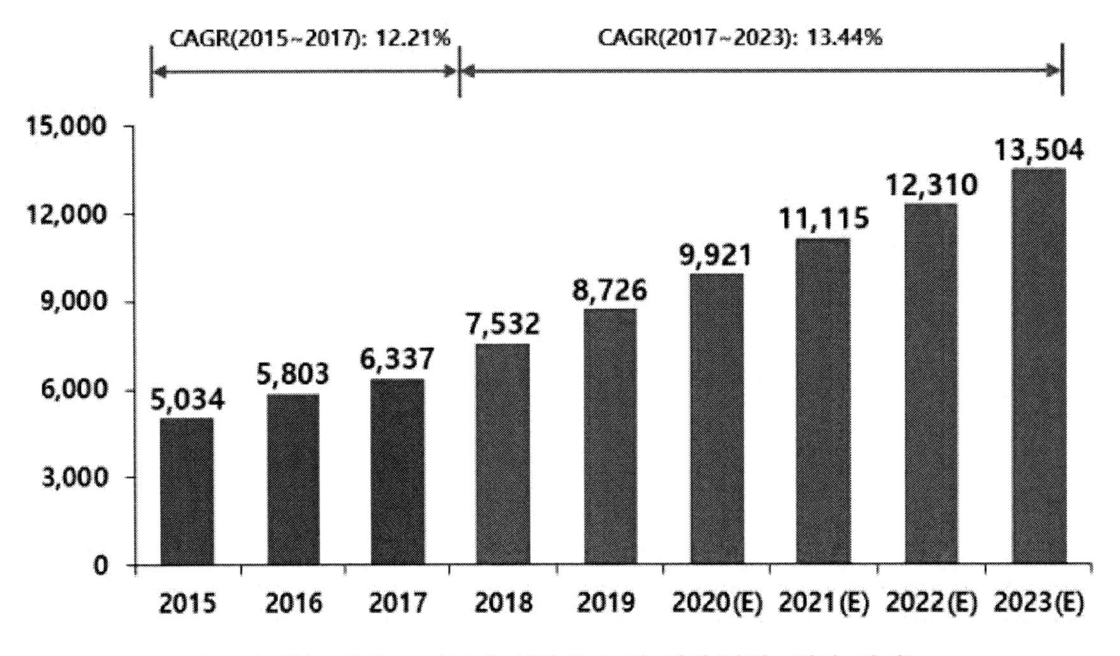

[그림 80] 세계 스마트팜 시장규모 및 전망(단위: 백만 달러)

1) 일본

일본의 경우 일본 정부가 직접 나서서 민관합동 및 연구기관의 제휴로 스마트 농업의 개발 및 실용화를 적극적으로 추진하고 있는 가운데, 이를 미래 비즈니스 기회로 여기고, 다양한 타 업종의 기업 진출이 증가함으로써 기술개발과 보급이 급속도로 이루어지고 있다. 이에 따라 매년 관련 시장규모가 성장을 거듭하고 있으며 2023년에는 약 333억 엔 규모로 확대될 전망이다.

---

47) 그린플러스(186230), 한국IR협의회, 2020.10.22

그동안 일본 기업의 농업진출은 농작물을 안정적으로 조달하고자 하는 식품업체나 공공사업의 감소에 따른 건설업체들이 경영 다각화의 방책으로 이뤄진 경우가 많았으나 최근에는 소매업, 제조업, IT, 금융, 운수업 등 다양한 업계가 ICT, 로봇 기술을 농업에 응용하는 형태로 발전하고 있다.

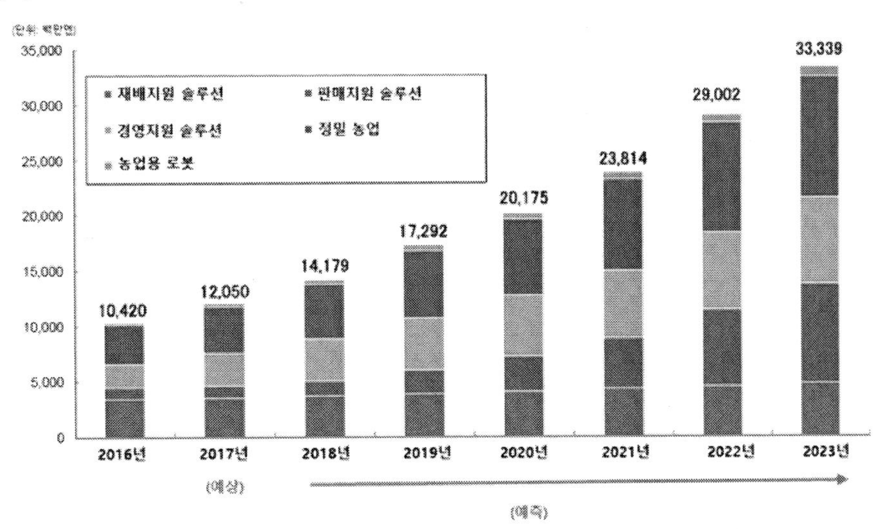

[그림 81] 일본 스마트농업 시장규모 추이 및 예상

2016년도 스마트농업 시장규모(104억2000만 엔)에 대한 분야별 점유율은 정밀 농업이 35.1%, 재배지원 솔루션 33.3%, 경영지원 솔루션 20.2%, 판매용 솔루션 9.6%, 농업용 로봇 1.9% 순으로 스마트 농기계 및 농업용 클라우드·제어 시스템이 전체 시장에서 큰 비중을 차지하고 있다.

2) 중국

중국 스마트 농업시장 규모는 2015년 이후 연평균 14.3% 성장, 2020년에 268억 달러 규모에 이를 것으로 예상되며, 전 세계 스마트 농업시장 규모 역시 중국을 포함한 아태지역이 가장 큰 규모를 보인다.

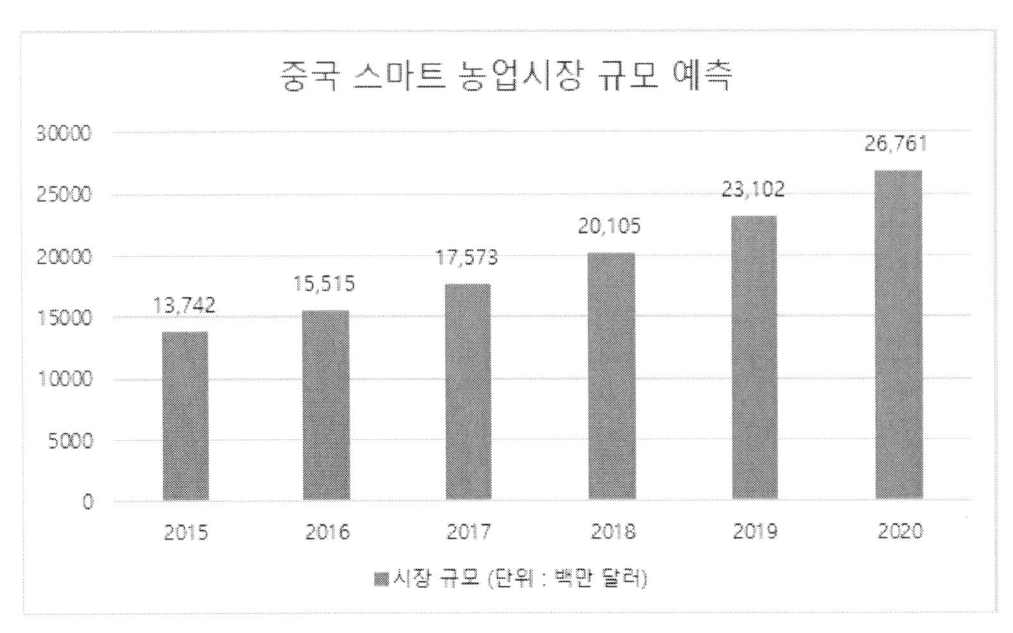

[그림 82] 중국 스마트 농업시장 규모 예측

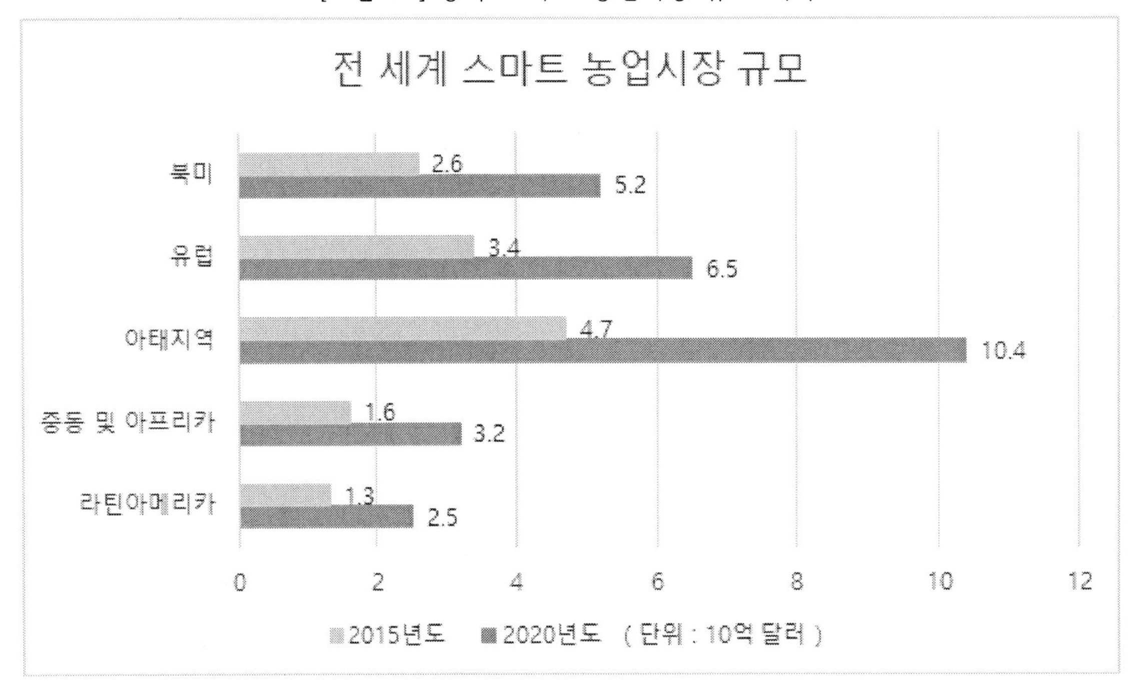

[그림 83] 전 세계 스마트 농업시장 규모

2017년 중국 정부는 2030년까지 AI 산업의 세계 리더가 되겠다는 전략을 세웠으며, 최근까지 국영기업을 통해 약 300억 달러 규모의 펀드를 조성하는 등 적극적인 지원정책 하에 스타트업에 대한 투자가 활발히 진행되고 있다.

아울러, 베이징은 AI 산업단지에 약 20억 달러를 투입했으며, 톈진은 약 160억 달러를 투입할 예정으로 지방 정부의 투자도 가시화되고 있다. 이런 흐름 속에서 스마트팜 관련 스타트업에 대한 투자도 늘어나는 추세다.

3) 미국[48]

시장조사기관 얼라이드(Allied)는 미국 스마트팜 규모가 2019년 US$25억에서 연 9.6%씩 성장해 2027년에는 약 US$44억에 달할 것으로 전망했다. 미국 농무부(USDA, United States Department of Agriculture)의 2019 Agricultural Resources and Environmental Indicators 보고서에 따르면 트렉터와 콤바인 등 노동 절약형 자가 조종 시스템이 가장 널리 적용되고 있는 정밀농업 기술로 조사되었다.

그 외에도 사물인터넷(IoT, Internet of Things), 빅데이터, 클라우드, 인공지능 등을 이용해 실시간으로 농작물 데이터를 수집하며 보다 능동적으로 농업 생산 시스템이 변화하는 추세다. 시장조사기관 스테티스타(Statista)에 따르면 2024년까지 미국 스마트팜 하드웨어 시장은 US$16억 8천만으로 2016년 대비 58.5% 성장할 것으로 전망된다.

미국 내 스마트팜 소프트웨어 시장은 US$7억 3천만으로 2016년 대비 약 198% 성장할 것으로 예상되며 바이든 행정부의 적극적인 기후변화 대응 정책과 함께 스마트팜 도입 활성화가 예상된다. 농업은 미국 내에서 약 10% 가량의 온실가스 배출 비율 차지하고 있으며, 바이든 행정부는 농장의 탄소 배출량 감소와 지속가능한 농업 시스템 적용을 장려하기 위해 농무부의 상품 신용 공사(Commodity Credit Corporation)를 통해 지원금 지급 논의 중이다.

4) 러시아[49]

Grand View Research(글로벌 지적도 분석기관)는, 2017년 기준 러시아 스마트팜 시장 규모가 2억2180만 달러라고 발표한 바 있다. 러시아의 스마트팜 시장은 연 5%씩 성장하고 있으며, 2019년 기준 2억4500만 달러까지 성장했다고 추정된다.

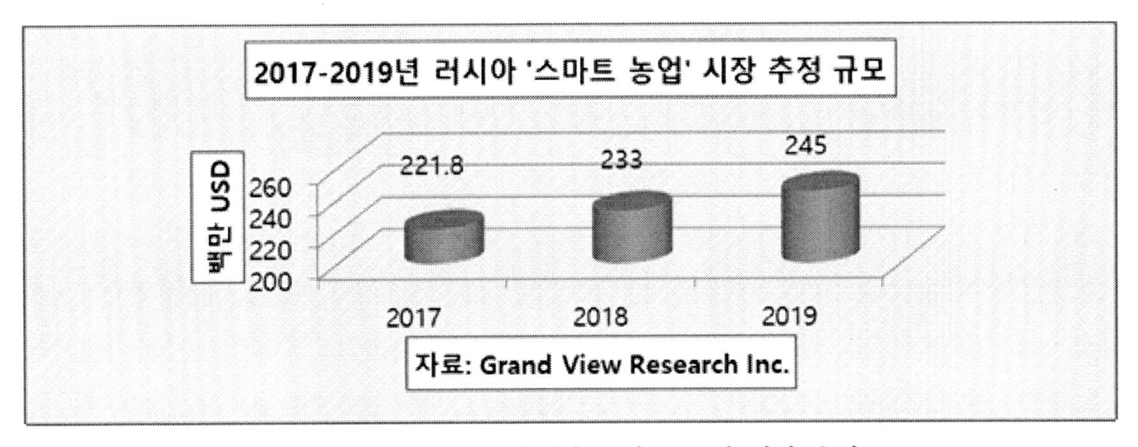

[그림 84] 2017-2019년 러시아 스마트 농업 시장 추정 규모

러시아는 현재 농업부문으로서 '스마트 농업' 솔루션을 광범위하게 도입 중이다. 이 점에서 러시아도 세계적 추세에 편승하고 있다고 할 수 있으나 아직은 초기단계에 불과한 것으로 나

48) 캐나다 스마트팜 시장 동향, KOTRA, 2021
49) 러시아 스마트팜의 시장 잠재력, KOTRA, 2021.04.13

타났다. Grand View Research는, 러시아의 스마트팜 시장이 잠재력을 갖추고 있다고 밝혔으며 이러한 배경은 글로벌 스마트팜 기술의 빠른 전도, ICT 인프라 확대, 정부 지원 및 정책 수립 등으로 꼽는다.

나. 국내 스마트 팜 시장[50)]

통계청에 따르면, 국내 농가당 경지면적은 1.4만㎡로 스마트팜의 주요 시장인 미국(180만㎡), 캐나다(635만㎡)에 비해 매우 작은 수준이다. 국내 스마트팜 시장규모 역시 세계 시장의 1.42%, 아시아태평양(APAC) 시장의 7.50% 수준에 그치고 있다. 2017년 기준 일정 수준의 스마트팜 시설이 갖춰진 국내 유리온실 재배 비중은 0.8%로 이 역시 일본(4.5%)과 글로벌 평균(17.0%)에 비해 현저히 낮다. 이에 따라 정부는 스마트팜을 혁신성장 선도사업으로 선정하였으며, 2022년까지 전국에 혁신밸리 4개소(상주, 김제, 밀양, 고흥) 조성 계획을 밝혔다.

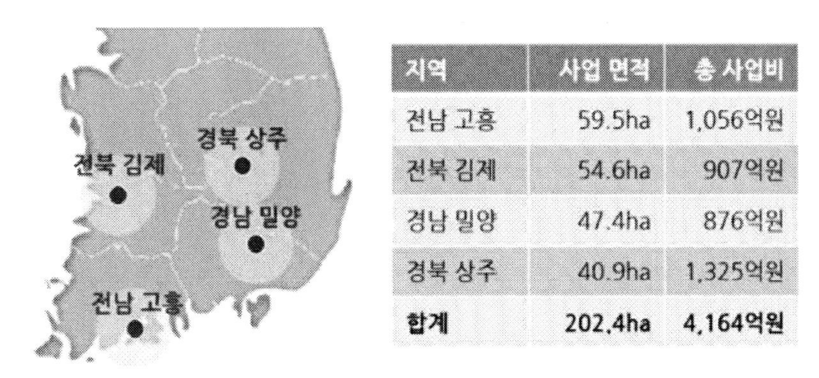

지역	사업 면적	총 사업비
전남 고흥	59.5ha	1,056억원
전북 김제	54.6ha	907억원
경남 밀양	47.4ha	876억원
경북 상주	40.9ha	1,325억원
합계	**202.4ha**	**4,164억원**

[그림 85] 스마트팜 혁신밸리 사업 계획

Markets&Markets에 따르면, 국내 스마트팜 시장은 2017년 1,020억 원 규모이며, 이후 연평균 21.68%의 높은 성장세를 보이며 2023년에는 3,310억 원의 시장규모를 형성할 것으로 전망된다.

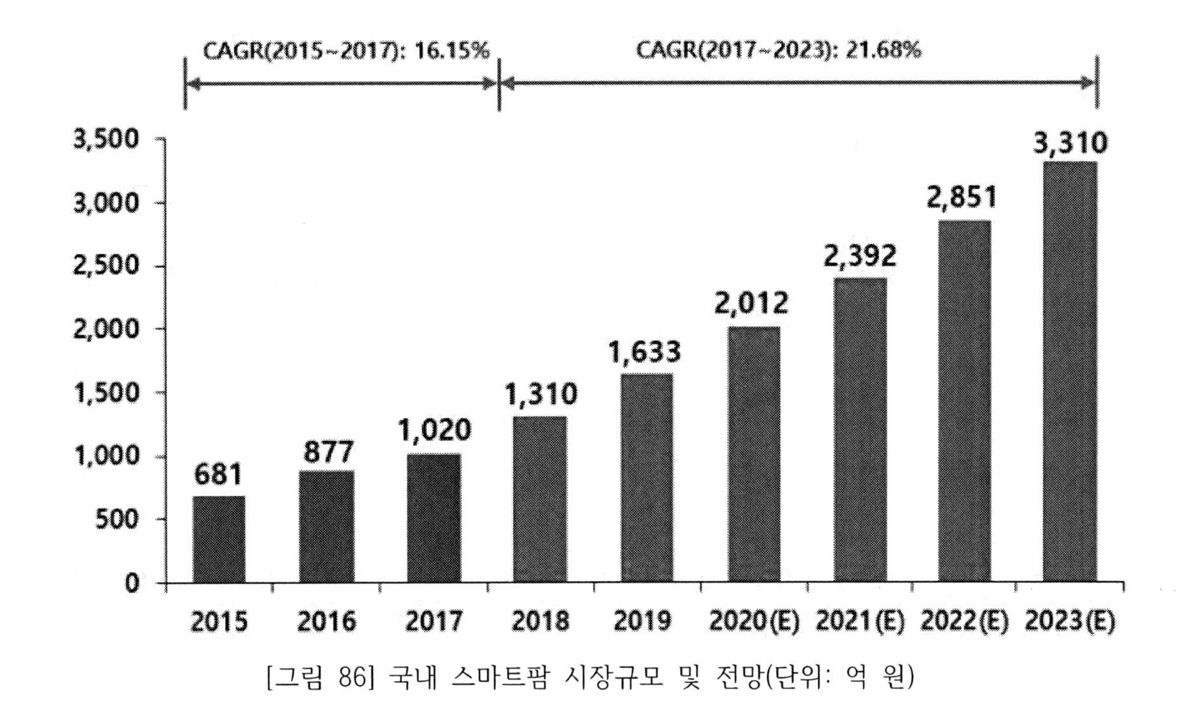

[그림 86] 국내 스마트팜 시장규모 및 전망(단위: 억 원)

50) 그린플러스(186230), 한국IR협의회, 2020.10.22

국내 시설원예 면적 중 비닐하우스 면적은 2018년 기준 52,704ha로 전체 면적의 98.93%를 차지하고 있으며, 경질판온실과 유리온실은 각각 211ha, 360ha로 전체면적 대비 0.40%, 0.68% 수준이다. 다만, 국내 비닐하우스의 80% 이상이 사용년수가 15년 이상인 것으로 추정되어 시설 노후화로 인한 교체 수요가 예상되며, 시설 현대화에 따라 유리온실 기반 스마트팜으로의 전환이 이루어질 것으로 전망된다.

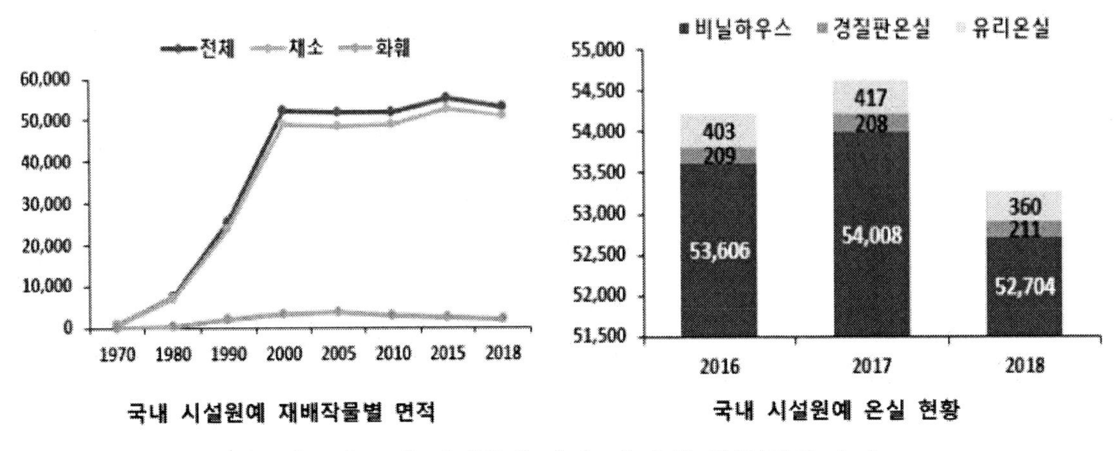

[그림 87] 국내 시설원예 면적 및 온실 현황(단위: ha)

스마트팜 관련 기술수준은 1세대, 2세대, 3세대로 구분할 수 있다. 1세대는 센서를 통한 환경변화 모니터링과 편리성 증진, 기능제어 등 제어시스템으로 구성된다. 한국은 1.5세대로서 일본의 2세대를 추격 중이다. 2세대 기술은 스마트팜 최적화 단계이다. 일본은 현재 2세대로 미국을 추격하고 있는 단계이다. 2세대는 생육환경의 최적화 알고리즘 적용, 생산성 향상, 농작물의 질병예방 및 생육진단 서비스를 제공하는 단계이다. 3세대는 네덜란드로 가장 기술수준이 우위에 있다. 미국이 네덜란드를 추격하고 있으며, 시설 내 온·습도 등을 자율적으로 조절할 수 있도록 기술을 개발하여 수출하는 단계이다.

4차 산업혁명 기술 개발 방향 설정을 위해 세계 주요국과 우리나라의 기술수준을 비교해 볼 필요 있다. 이에, 농림식품과학기술의 효율적 관리와 농식품 R&D 통합 조정의 틀인 '농림식품과학기술 분류체계(2017.12.29 고시)'를 바탕으로 4차 산업혁명과 농식품 분야에 관련된 기술을 농림식품 기계·시스템 (농업시설 ·환경기계· 시스템/농업 자동화·로봇화)과 농림식품 융복합(식물공장/유비쿼터스 정보화 기술) 기술로 나누어 살펴본 각각의 기술 수준은 다음과 같다.

분야		한국	미국	일본	영국	프랑스	네덜란드	독일	호주	중국
중분류	농업기계 시스템	76.6	100.0	97.3	86.7	87.0	95.2	94.9	84.3	64.6
	식품기계 시스템	68.0	98.7	98.5	87.2	86.0	84.4	100.0	75.2	63.6
	임업기계 시스템	78.0	100.0	99.4	78.7	76.2	75.6	92.1	76.5	75.0
	축산업기계 시스템	76.5	99.5	96.6	92.3	92.9	100.0	97.4	85.1	64.8
전체		75.0	100.0	98.2	86.8	86.4	90.8	96.5	81.4	66.2

[표 38] 농림식품기계/시스템 분야 기술 수준(기술선진국=100)

먼저 우리나라 농림식품 기계·시스템 분야의 기술수준은 최고 기술 보유국인 미국을 100.0으로 보았을 때 75.0으로 주요국 9개 국가(한국, 미국, 일본, 영국, 프랑스, 네덜란드, 독일, 호주, 중국) 중 8위이다. 중국은 66.2로 우리보다 낮은 수준이다.

농업기계·시스템은 최고 기술국(미국) 대비 76.6, 식품기계·시스템은 최고기술국(독일) 대비 68.0, 임업기계·시스템 최고기술국(미국) 대비 78.0, 축산업기계·시스템 최고기술국(네덜란드) 대비 76.5 수준으로 전체적으로 추격그룹에 속한다.

분야		한국	미국	일본	영국	프랑스	네덜란드	독일	호주	중국
중분류	농생명 신소재·시스템	74.6	100.0	93.3	85.6	84.3	83.4	89.1	79.1	70.8
	농생명 에너지 자원	68.2	97.4	92.9	85.4	84.7	94.1	100.0	83.3	66.3
	농생명 정보·전자	71.5	100.0	88.3	81.4	81.7	86.9	87.5	77.8	64.5
전체		73.0	100.0	92.5	85.0	84.2	86.7	91.2	80.0	68.8

[표 39] 농림식품 융복합 분야 기술수준(기술선진국=100)

07 스마트 팜 성과

7. 스마트 팜 성과

가. 성공사례

1) 시설 원예 분야 성공 사례

○ 농가 정보

농장명	블루팜	경영주	만 40세
경영유형	개인	생산 증가량	25% 증가
지역	경남 진주시	스마트 팜 운용연수	3년 이상
재배품목	시설딸기	스마트 팜 투자비용	6,000만원 (자부담 3,000만원)
시설면적	10,000m^2	고용인원	1명
시설유형	비닐(단동형 6개동)	재배방법	-

○ 도입장비

구동기제어, 통합제어장치, 양액제어기, 모니터링

○ 주요 성과

생산단수 향상 : 25% 증가
노동력 감소 : 20% 감소

○ 전문가가 본 성공요인

ICT시설 및 장비에 대한 이해도가 높으며, 이외에도 수직농장 등 다양한 다각화 방향을 고민하고 있음.

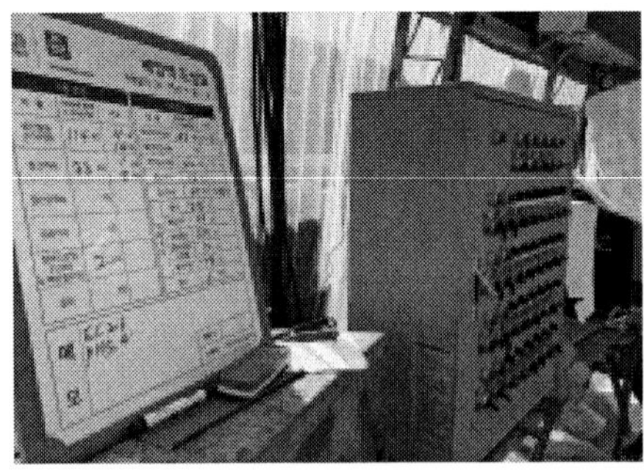

○ 농가 정보

농장명	프리미엄 팜	경영주 나이	만 33세
경영유형	개인	생산량	-
지역	전북 남원시	스마트 팜 운용연수	4년 이상
재배품목	파프리카	스마트 팜 투자비용	6억 (자부담 5억 8천)
시설면적	10,000m^2	고용인원	가족 3명 운영
시설유형	14연동 1개동	재배방법	-

○ 도입장비

온실환경센서, 천창, 측창, 보온커튼, 유동팬, 통합제어장치, 양액제어장치, 모니터링

○ 주요 성과

도입 후 연간 180톤 생산
가족 3명이 1ha 시설 농가 가능 (노동력 5%감소)
파프리카의 모양과 품질이 균일하게 유지되어 인기가 높음

○ 전문가가 본 성공요인

스마트팜 구축을 위해 기 구축된 농가들을 연구하고 견학했으며 농식품인력개발원에서 실시하는 장기연수와 해외 연수를 통해 기술을 익힘

○ 농가 정보			
농장명	투베리농원	**경영주 연령**	52세
경영유형	개인	**단위면적 당 생산량**	4.1kg
지역	전남 장성군 진원면	**스마트 팜 운용연수**	3년 이상
재배품목	딸기, 블루베리	**스마트 팜 투자비용**	2억 8,000만원
시설면적	2,570m^2 / 10,630m^2	**고용인원**	사무실 근로자 10명 현장 근로자 3명
시설유형	연동 3동 / 단동 15동	**재배방법**	고설 수경재배

○ 도입장비

통합제어장치(판넬, 디지털제어기), 에너지 절감시설

○ 주요 성과

생산량 향상 : 도입 전(3kg) → 도입 후(4.1kg)
전체 생산 중 출하 상품 비중 : 도입 전(83.8%) → 도입 후(99.9%)

○ 전문가가 본 성공요인

데이터의 중요성을 잘 알아 스마트팜 도입에 적극적임.
친화력이 좋아 귀농기술센터나 설비업체의 사람들과 친하게 지내며 필요한 도움을 잘 받을 수 있었음.

○ 농가 정보

농장명	신기수농장	경영주 연령	만 58세
경영유형	개인	단위면적 당 생산량	90kg
지역	전북 진안군	스마트 팜 운용연수	4년 이상
재배품목	토마토	스마트 팜 투자비용	18억 원 (자부담 9억)
시설면적	10,000m^2	고용인원	4명
시설유형	6연동 1개동	재배방법	-

○ 도입장비

온도제어시스템, 복합환경제어시스템, 관수, 양액설비, 모니터링 시스템, 원격제어시스템

○ 주요 성과

생산량 향상 : 도입 전(60kg) → 도입 후(90kg)
노동력 향상 : 도입 전(7명) → 도입 후(4명)

○ 전문가가 본 성공요인

IT에 대한 이해도가 높으며 주변 농가들과 함께 협력하여 수출 판로를 개척함.

○ 농가 정보

농장명	심스팜	경영주 연령	65세
경영유형	개인	단위면적 당 생산량	5kg
지역	강원 평창군 대관령면	스마트 팜 운용연수	1년 미만
재배품목	여름 딸기	스마트 팜 투자비용	1억 5천만원
시설면적	21,400m^2	고용인원	사무실 근로자 1명 현장 근로자 20명
시설유형	연동 14동/ 연동 10동/ 연동7동/ 연동 6동/ 연동 3동	재배방법	고설 수경재배

○ 도입장비

통합제어장치(판넬, 디지털제어기), 양액제어기, 에너지절감시설, 건조, 온풍기

○ 주요 성과

생산량 향상 : 도입 전(3kg) → 도입 후(5kg)
출하 상품량 : 도입 전(60톤) → 도입 후(100톤)

○ 전문가가 본 성공요인

고령의 선배 농업인 임에도 불구하고 엄청난 학구열과 발전을 갈구하는 억척스러운 모습.지속적인 관리와 교육을 통해노력한다면, 여러 선후배 농업인들의 귀감이 될 것으로 보임.

○ 농가 정보

농장명	씨드림(주)	경영주 연령	60세
경영유형	농업회사법인	단위면적 당 생산량	-
지역	충남 부여군	스마트 팜 운용연수	2년 이상
재배품목	방울토마토, 멜론	스마트 팜 투자비용	1억 5천만원
시설면적	4,840m^2	고용인원	사무실 근로자 10명 현장 근로자 3명
시설유형	연동 12동	재배방법	수경재배

○ 도입장비

통합제어장치(판넬, 디지털제어기), 양액제어기, CCTV

○ 주요 성과

전체 생산 중 출하 상품 비중 : 도입 전(93.2%) → 도입 후(94%)

○ 전문가가 본 성공요인

농업 빅데이터가 농장에서 현실적인 역할을 할 수 있는 것에 주안점을 둔 씨드림의 운영방식은 씨드림의 연구 결과가 곧 농장의 생산성 향상으로 이어지게 만듦.

○ 농가 정보

농장명	윤스팜	경영주 연령	35세
경영유형	개인	단위면적 당 생산량	16kg
지역	경북 경주시 내남면	스마트 팜 운용연수	2년 이상
재배품목	토마토	스마트 팜 투자비용	4천만원
시설면적	2,440m^2	고용인원	현장 근로자 1명
시설유형	연동 3동	재배방법	수경재배

○ 도입장비

통합제어장치(판넬, 디지털제어기), 양액제어기, 에너지 절감시설

○ 주요 성과

생산량 향상 : 도입 전(10kg) → 도입 후(16kg)
전체 생산 중 출하 상품 비중 : 도입 전(88.3%) → 도입 후(94.7%)

○ 전문가가 본 성공요인

스마트 기기 사용에 익숙한 세대여서 그런지 이해도·활용도가 높고 농사에 대한 애착이 강함. 사회생활 초년병 시절의 힘겨움이 농사로 치유 받으면서 되레 약이 된 듯.
자신의 강한 의지에다 아버지의 경험, 스마트 팜의 기술이 3박자를 이루고 있음.

○ 농가 정보			
농장명	다원농업영농조합법인	**경영주 연령**	27세
경영유형	개인	**단위면적 당 생산량**	42.4kg
지역	전라북도 진안군 동향면	**스마트 팜 운용연수**	2년 이상
재배품목	완숙토마토	**스마트 팜 투자비용**	40억 원
시설면적	16,529m^2	**고용인원**	-
시설유형	유리온실	**재배방법**	수경재배

○ 도입장비

센서, 제어노드 및 구동기, 양액공급제어, 영상장비

○ 주요 성과

단위 면적(1㎡)당 생산량 향상 : 도입 전(16kg) → 도입 후(42.4kg)
단위 면적(1㎡)당 매출액 : 도입 전(22,830원) → 도입 후(60,500원)

○ 스마트팜 운영 관련 조언

"무조건 작물을 자주 보면서 친해져야 한다." ICT 장비가 제공하는 수치 데이터도 좋지만 그것만으로 작물 상태를 파악하는 데는 한계가 있다. 그러므로 데이터는 참고 자료 정도로만 삼고, 판단은 작물을 직접 보고 내려야 한다.

○ 농가 정보

농장명	월화수목금토마토	경영주 연령	44세
경영유형	개인	단위면적 당 생산량	17.5kg
지역	전라북도 익산시 황등면	스마트 팜 운용연수	1년 이상
재배품목	대추방울토마토	스마트 팜 투자비용	-
시설면적	4,562m^2	고용인원	-
시설유형	5연동(벤로형 비닐온실)	재배방법	수경재배

○ 도입장비

센서, 제어노드 및 구동기, 양액공급제어, 영상장비

○ 주요 성과

단위 면적(1㎡)당 생산량 향상 : 도입 전(7.6kg) → 도입 후(17.5kg)
단위 면적(1㎡)당 매출액 : 도입 전(19,039원) → 도입 후(43,840원)

○ 스마트팜 운영 관련 조언

"'농업은 95%가 과학이고 5%가 노동이다." 새로운 기술이 계속 쏟아져 나오는 스마트팜 업계에서 부지런히 배우지 않으면 뒤처질 수밖에 없다. 또한 다른 스마트팜 농가와의 꾸준한 교류도 중요하다.

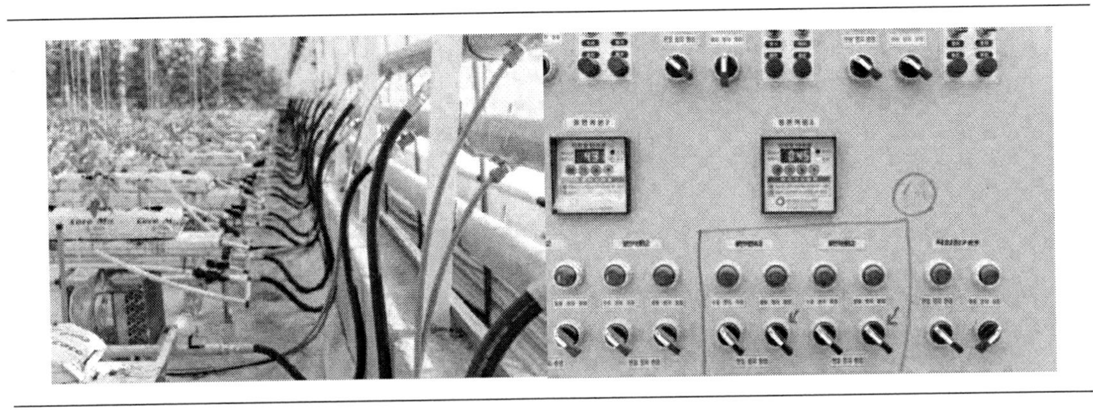

○ 농가 정보			
농장명	하랑영농조합법인	**경영주 연령**	33세
경영유형	개인	**단위면적 당 생산량**	45.45kg
지역	전라북도 김제시 만경읍	**스마트 팜 운용연수**	6년 이상
재배품목	완숙토마토 칵테일토마토 대추방울토마토	**스마트 팜 투자비용**	-
시설면적	35,000m^2	**고용인원**	-
시설유형	유리온실	**재배방법**	수경재배

○ 도입장비

센서, 제어노드 및 구동기, 양액공급제어, 영상장비

○ 주요 성과

단위 면적(1㎡)당 생산량 향상 : 도입 전(16kg) → 도입 후(45.45kg)
단위 면적(1㎡)당 매출액 : 도입 전(25,146원) → 도입 후(71,429원)

○ 스마트팜 운영 관련 조언

스마트팜에서는 ICT 장비가 다 알아서 농사를 지어줄 것처럼 착각해서는 안 된다. 전체 농사에서 ICT 장비가 차지하는 비중은 10% 정도이며, 스마트팜 분야에서 최고의 기술을 보유하고 있는 네덜란드에서조차도 토마토 수확과 이파리를 솎는 일은 다 사람 손을 거친다.

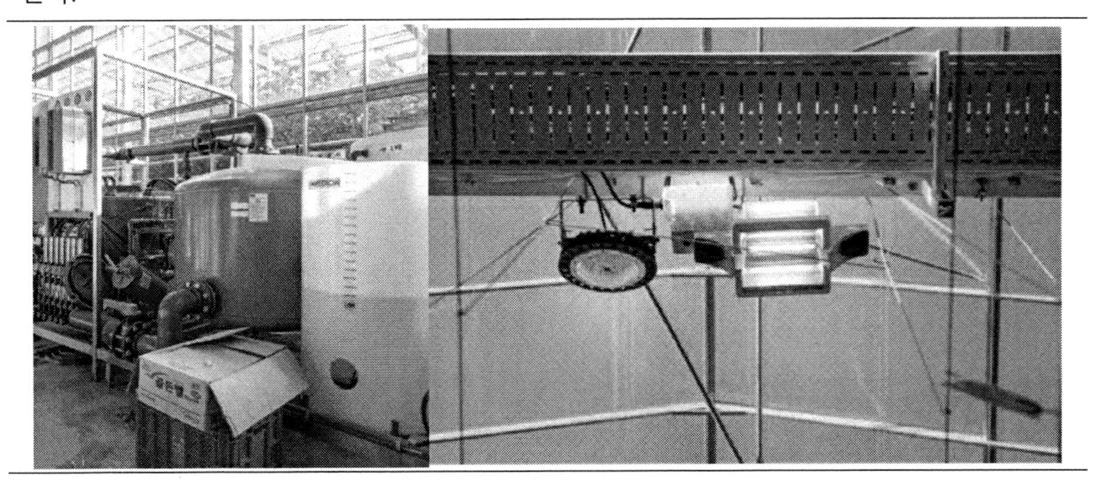

2) 과수 분야 성공 사례

○ 농가 정보			
농장명	청정원	**경영주 연령**	61세
경영유형	개인/귀농	**생산량**	-
지역	전북 장수군 천천면	**스마트 팜 운용연수**	1년 이상
재배품목	사과	**스마트 팜 투자비용**	5천만원
시설면적	9,900m^2	**고용인원**	사무실 근로자 1명 현장 근로자 8명
시설유형	노지 재비	**재배방법**	노지 재배

○ 도입장비

통합제어장치, 토양수분센서, 외부환경센서

○ 주요 성과

전체 생산 중 출하 상품 비중 : 도입 전(84.2%) → 도입 후(92.1%)

○ 전문가가 본 성공요인

스마트 팜 활용에 있어 매우 적극적이고 능동적인 농장주.
그의 노력으로 농장의 규모와 특성을 고려한 간편하고 효율적인 농장운영이 이루어지고 있음.

○ 농가 정보			
농장명	에이스애플팜	**경영주 연령**	65세
경영유형	개인	**생산량**	-
지역	강원 평창군	**스마트 팜 운용연수**	2년 이상
재배품목	사과	**스마트 팜 투자비용**	3,100만원
시설면적	9,000m^2	**고용인원**	현장 근로자 2명
시설유형	노지 재배	**재배방법**	노지 재배

○ 도입장비

양액제어기, 미스트발생기, 토양측정기, 강우량측정기, 모니터링시스템, 기상센서

○ 주요 성과

생산량이 매년 20%이상 증가했으며, 낙과가 줄고 상품의 질이 일정하게 유지됨
2,700여 평의 농장을 2명이 운영 가능

○ 전문가가 본 성공요인

IT 지식에 밝았으며 봉평의 22개 농가가 함께 작목반 활동을 하며 판로를 개척함

3) 축산 분야 성공 사례

○ 농가 정보			
농장명	보물촌흑돼지농장	**경영주 연령**	57세
경영유형	개인	**사육두수**	3,000두(모돈:300)
지역	전북 장수군 장수읍	**스마트 팜 운용연수**	2년 이상
사육품종	흑돈	**스마트 팜 투자비용**	4억
시설면적	3,372m^2	**고용인원**	현장 근로자 5명

○ 도입장비

자동급이기, 사료빈관리기, 음수관리기, 돈사환경관리기, 생산경영관리SW

○ 주요 성과

연간 모돈 두당 출하두수(MSY) : 도입 전(13.3두) → 도입 후(17.3두)

○ 전문가가 본 성공요인

'농가와 함께 장비개발업체도 성장해야 국내 스마트 팜이 발전할 거라 생각'할 정도로 긍정적이고 열의가 높음.
돈사 환경개선으로 능률과 성과향상의 일거양득의 효과를 기대함.

○ 농가 정보

농장명	봉동농장	경영주 연령	51세
경영유형	농업회사법인	출하두수	101,400두
지역	충남 논산시 연무읍	스마트 팜 운용연수	3년 이상
사육품종	백돈	스마트 팜 투자비용	-
시설면적	2,965m^2	고용인원	사무실 근로자 2명 현장 근로자 18명

○ 도입장비

음수관리기, 돈사환경관리기

○ 주요 성과

연간 총 출하 두수 : 도입 전(98,300두) → 도입 후(101,400두)
어미돼지 한 마리 당 출하 두수 : 도입 전(27두/연) → 도입 후(28두/연)

○ 전문가가 본 성공요인

결정권자의 선견지명과 대기업만이 할 수 있는 과감한 투자 덕분에 오늘의 봉동농장이 있다고 생각함.

○ 농가 정보

농장명	두레목장	경영주 연령	57세
경영유형	개인	총 사육 두수	190두
지역	충청북도 진천군 이월면	착유두수	72두
사육품종	낙농(젖소)	스마트 팜 운용연수	6년 이상
시설면적	7,933m^2	스마트 팜 투자비용	-

○ 도입장비

급이기, 자동착유기, 발정탐지기, 원유냉각기, 대형선풍기

○ 주요 성과

평균 산차 수 : 도입 전(2.3산) → 도입 후(2.6산)
두당 평균 유량 : 도입 전(36.8L) → 도입 후(41.2L)

○ 스마트팜 운영 관련 조언

"낙농은 앞을 길게 내다보고 초기에 확실히 투자해야 한다". 따라서 스마트팜 도입을 고려하는 농가들은 가격보다는 정말 쓸만한 장비를 골라 투자해야 한다.

○ 농가 정보			
농장명	석준농장	**경영주 연령**	38세
경영유형	개인	**총 사육 두수**	205두
지역	충청북도 청주시 청원구 북이면	**평균 공태기간**	66일
사육품종	한우 (번식우 중심)	**스마트 팜 운용연수**	2년 이상
시설면적	2,868.8m^2	**스마트 팜 투자비용**	-

○ 도입장비

급이기, 환기시스템, 안개분무기, 발정탐지기, 지붕개폐기, CCTV

○ 주요 성과

평균 산차 수 : 도입 전(2.1산) → 도입 후(2.2산)
분만 간격 단축 : 도입 전(385일) → 도입 후(351일)

○ 스마트팜 운영 관련 조언

스마트축사를 도입할 때 규모나 인력, 사육 형태 등 농장의 상황에 맞게끔 접목해야 한다. 성공적인 스마트축사 도입을 위해서는 ICT 장비의 특징을 미리 파악하고, 자신의 농장에 어떻게 적용할지 명확한 계획을 세워야 한다.

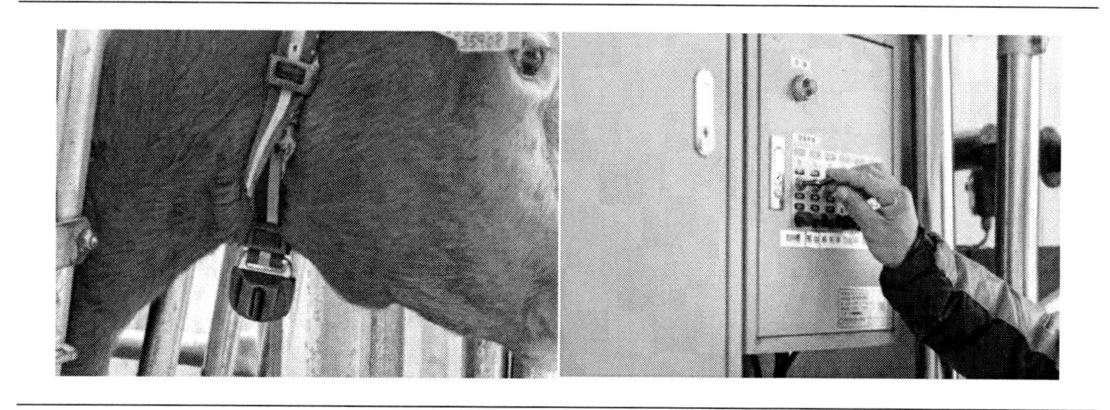

○ 농가 정보

농장명	성은농장	경영주 연령	75세
경영유형	개인	입식수수	42,000수
지역	충청북도 음성군 감곡면	연간회전수	7회
사육품종	육계	스마트 팜 운용연수	4년 이상
시설면적	4,699m^2	스마트 팜 투자비용	-

○ 도입장비

내부 환경 관리기, 외부 기상대, 체중측정기, 사료빈관리기, 자동사료급이기, 음수관리기

○ 주요 성과

육성률 : 도입 전(95%) → 도입 후(99%)
연간 매출액 : 도입 전(1억 2천백만 원) → 도입 후(1억 5천만 원)

○ 스마트팜 운영 관련 조언

육계 농장에 스마트팜 도입을 적극 권장한다. 10만 마리 이상 사육하는 대형 농장뿐만 아니라 중소 규모의 농장에서도 충분히 도입을 추진할 수 있고, 성과 또한 기대할 수 있기 때문이다. 성은농장의 경우도 농장 규모 4,699m^2, 입식수수 42,000수로 다른 육계 농장에 비하면 작은 규모에 속한다.

○ 농가 정보

농장명	농업회사법인에코팜	경영주 연령	51세
경영유형	개인	사육두수	7,000두
지역	전라남도 순천시 낙안면	모돈 두수	440두
사육품종	양돈	스마트 팜 운용연수	3년 이상
시설면적	7,048m^2	스마트 팜 투자비용	-

○ 도입장비

내부 환경 관리기, 환기자동제어 시스템, CCTV, 포유모돈 사료급이기, 음수관리기, 온습도 제어기, 사료빈 관리기

○ 주요 성과

총 산자수 : 도입 전(13.1두) → 도입 후(13.8두)
모돈두당 이유두수 : 도입 전(10.9두) → 도입 후(11.8두)

○ 스마트팜 운영 관련 조언

스마트팜을 도입할 때 성적이 단시간 내에 올라갈 거라는 기대는 접어야 한다. 시설과 장비를 도입해 성과로 이어지는 데 시간이 걸리기 때문이다. 신뢰할만한 데이터를 쌓고, 분석과 활용 단계까지 나아가는데도 최소 몇 개월에서 길게는 몇 년의 시간이 필요하다.

08 결론

8. 결론

과거 우리의 기억 속에 자리잡은 농업은 "피땀흘려 키운" 등의 수식어가 붙었었다. 이에 많은 사람들은 농업보다는 도시행을 택했고, 그 결과 국내 농가인구를 점점 줄어들고 있으며 농민과 도시민의 소득 격차도 심해지고 있다.

하지만, 이제 농업은 다시 새로운 국면을 맞이했다. 스마트팜의 도입으로 인해 노동력의 투입량은 줄어들었고, 생산량과 매출액은 증가하였다. 이에 다시 젊은이들이 농업으로 돌아가는 경우도 적지않게 볼 수 있다.

이에 최근 많은 국가에서 차세대 농업의 발전 방향으로 스마트팜을 선택하고 있고, 국내에서도 스마트팜 육성을 위한 다양한 투자가 진행되고 있다. 하지만 이러한 상황을 좋게 바라보지 않는 경우도 있다. 특히 현재 스마트팜을 운영 중인 현장 농민 대다수는 사업 과제들의 실효성과 현장 적응성에 강한 의문을 제기하고 있는 실정이다. 스마트팜으로 시설원예 작물을 재배 중인 한 농민은 '농식품부나 농진청 연구과제들을 살펴보면 농업계가 아닌 IT 산업계가 모든 걸 주도해 나간다는 인식을 지울 수 없다. 기술 수준을 발전시키려는 노력은 당연히 필요하고 또 인정받아 마땅하지만 지금의 R&D 과제들은 현장과도 한참 동떨어져 있고, 의미조차 없는 게 사실이다'라며 '예를 들어 이미 시스템으로 내부 재배환경을 제어하고 있는데 이런 데이터를 수집·분석하는 게 무슨 의미를 갖겠나. 차라리 현장에서 필요로 하는 노동력이나 에너지, 비용 등을 절감하는 방안을 발굴하고 수행하는 게 농업계 발전을 위해 시급하다고 본다'고 말하기도 했다.[51]

스마트팜을 도입한 농가들 중 성공사례로 손꼽히는 경우도 이와 비슷한 조언을 하곤 했다. 스마트팜은 농사를 짓는 도구에 불과할 뿐, 결국 중요한 부분은 사람이 직접 작업을 해야하는데 현재 마치 고도화된 스마트팜을 사용하면 무조건 농사를 잘 짓게 된다는 인식을 심어주고 있지는 않은지, 살펴보아야 할 필요가 있다.

그렇다고 스마트팜을 도입하는 것이 좋지 않다는 것은 절대 아니다. 여전히 스마트팜을 도입한 농가들은 스마트팜 도입을 적극 권장하고 있고, 최근 다양한 지원사업을 통해 경제적인 부담도 줄일 수 있기 때문에 스마트팜 도입은 농업이 앞으로 나아가야할 방향이라고 할 수 있다.

또한, 과거 수입에 의존했던 스마트팜 기기들이 국산화되기 시작하면서 스마트팜 운용이 더욱 수월해졌다. 과거 스마트팜 기기들의 대부분이 수입제품이었기 때문에, A/S 등의 이유로 인해 피해를 보는 농가도 적지 않았다. 하지만, 국산화된 스마트팜 기기를 이용한다면 A/S가 쉬워지는 등 다양한 이점이 있다. 여전히 일각에서는 국산 스마트팜 기기에 대한 우려가 있지만, 과거 국내 농기계 업체들의 성장과정을 살펴본다면 머지않아 세계에서도 인정받는 스마트팜 기기 개발국이 될 것으로 전망된다.

---

51) 실효성 없이 '반복 또 반복' … 스마트팜 R&D "도 넘었다", 한국농정, 2021.03.28

9. 참고문헌

[1] 클라우드 컴퓨팅 시장 동향 및 향후 전망, 강맹수, 산은조사월보, 2019
[2] 스마트팜 확산·보급 사업 현황과 과제 - 농업분야 ICT 융복합사업을 중심으로, 국회입법조사처, (2019)
[3] 미래형 농업기술에 관한 동향 및 전망, 이규하, BRIC View 2019-T36
[4] 수산물 유통 블록체인이 뜬다, 현대해양(2021)
[5] 중국 농업, 이제는 '스마트팜' 시대, 오찬혁, KOTRA, 2019.03.21
[6] Covid-19 속 네덜란드 스마트팜 및 식량안보 동향, KOTRA, 2020.12.31
[7] 한국정보화진흥원, ICT 융합 해외선진사례(2014.02)
[8] 거대 유망 일본 스마트팜시장, 우리 기업의 블루오션될까, KOTRA, 2021.06.1
[9] 농촌진흥청 참조, 농업 ICT선진 사례, 2014
[10] 농식품 ICT 융복합 선진시스템 조사 및 국내 응용모델 연구(농림축산식품부 2014)
[11] 러시아 스마트팜의 시장 잠재력, KOTRA, 2021.04.13
[12] 우즈베키스탄의 스마트팜 트렌드, KOTRA, 2021.04.06
[13] 빅데이터와 ICT융복합을 활용한 한국형 스마트팜 모델, 권기덕 (2020)
[14] 캐나다 스마트팜 시장 동향, KOTRA, 2021
[15] 국내외 스마트 농촌 관련 정책동향과 핵심과제 도출, 한국농촌경제연구원(2019.12)
[16] 그린플러스(186230), 한국IR협의회, 2020.10.22

초판 1쇄 인쇄 2017년 6월 7일
초판 1쇄 발행 2017년 6월 12일
개정판 발행 2018년 6월 25일
개정2판 발행 2019년 8월 12일
개정3판 발행 2020년 11월 16일
개정4판 발행 2021년 10월 25일

편저 ㈜비피기술거래
펴낸곳 비티타임즈
발행자번호 959406
주소 전북 전주시 서신동 832번지 4층
대표전화 063 277 3557
팩스 063 277 3558
이메일 bpj3558@naver.com
ISBN 979-11-6345-316-1(93400)
가격 66,000원

이 도서의 국립중앙도서관 출판예정도서목록(CIP)은 서지정보유통지원시스템 홈페이지(http://seoji.nl.go.kr)와국가자료공동목록시스템
(http://www.nl.go.kr/kolisnet)에서 이용하실 수 있습니다.